L'ARCHITECTURE
EN
NOUVELLE-FRANCE

Gérard Morisset dans son cabinet de travail, vers 1950.

René Villeneuve
Charlesbourg.

Gérard Morisset,
de la Société royale du Canada

ule Luc Noppen
9 mars 1983

L'ARCHITECTURE

EN

NOUVELLE-FRANCE

Ouvrage orné de 160 gravures

Réédition
Éditions du Pélican
Québec 1980

Dépôt légal :
Bibliothèque nationale du Québec
quatrième trimestre de 1980.

ISBN 2-89011-003-6

Diffusion : **F I D E S**
235 est, boul. Dorchester,
Montréal, Canada, H2X 1N9

PRÉFACE À LA RÉÉDITION

« Il y a cinq ans, tout ce qu'on connaissait de
l'architecture au Canada français se ramenait
à des études générales sur l'origine bretonne ou
normande de nos maisons de pierre et de nos
églises anciennes ; à quelques noms, comme
ceux des abbés Geoffroy et Vachon de Belmont
au XVIIᵉ siècle, de Chaussegros de Léry et des
Baillairgé au XVIIIᵉ siècle, de Thomas Baillairgé et de Bourgeau, des Berlinguet et de
Perrault et Mesnard au XIXᵉ siècle ; à quelques
études fort succinctes sur les formes de notre
architecture du XVIIIᵉ siècle. Nul ouvrage
d'ensemble ; peu ou point de biographies ;
exemples rares et pas toujours concluants. »

Gérard Morisset écrivait ces lignes en 1940, dans le
*Rapport général du chef d'équipe de l'Inventaire des Œuvres
d'Art* pour la période 1935-1940. Son travail à l'*Inventaire*,
qui lui avait permis de s'intéresser à toutes les formes d'art
du Québec, et notamment à l'architecture, l'avait conduit à
tracer des premières années de cet organisme un bilan très

V

positif. Après cinq ans de recherches en archives, de dépouillement de journaux, de visites de nombreux édifices de la plupart des régions du Québec, Gérard Morisset était en mesure de proposer une première synthèse de l'art québécois. Cette synthèse, rédigée à l'origine pour ce rapport interne adressé au Secrétaire de la Province, fut reprise, augmentée et transformée pour sa publication dans *Coup d'œil sur les arts en Nouvelle-France* en 1941. À plus d'un titre, les quelque vingt-trois pages consacrées à l'architecture dans *Coup d'œil* préfigurent *L'architecture en Nouvelle-France*, volume publié à compte d'auteur en 1949.

A cette époque, Gérard Morisset n'est pas un nouveau venu dans le monde de l'édition : il a déjà à son actif plus de dix livres et a publié près de cent quatre-vingts articles dans diverses revues et quelques journaux. Avant de présenter *L'architecture en Nouvelle-France*, attardons-nous à l'homme : qui est Gérard Morisset ?

Gérard Morisset naît au Cap-Santé, à quelque cinquante kilomètres à l'ouest de Québec, le 11 décembre 1898. Après des études classiques au Collège de Lévis, de 1911 à 1918, il entre à la Faculté de Droit de l'Université Laval et est admis à la Chambre des Notaires en 1921. En 1929, il part étudier en France et en revient en 1934, diplômé de l'École du Louvre, après avoir soutenu une thèse sur la peinture au Québec. En 1936, il publie le premier volume de *Peintres et tableaux*. L'*Inventaire des Œuvres d'Art* est créé en 1937, selon le projet soumis par Gérard Morisset en 1934. Parallèlement à son travail à l'*Inventaire*, Gérard Morisset rédige un grand nombre d'articles et quelques livres. Il prononce de nombreuses conférences lors de réunions, congrès ou

VI

colloques, de même qu'une imposante série de causeries à Radio-Canada. Gérard Morisset occupera par la suite, concurremment à son emploi à l'*Inventaire*, les postes de Secrétaire de la *Commission des Monuments Historiques du Québec* et de conservateur du Musée du Québec. Il meurt à Québec le 28 décembre 1970.

L'architecture en Nouvelle-France s'ouvre sur un très bel avant-propos. L'auteur y expose son objectif qui consiste à faire apprécier l'architecture ancienne du Québec qu'il admire, tout en faisant ressortir ce qui la distingue de celle du XIXe siècle et du début de notre siècle. Son texte liminaire, rédigé dans une prose admirable, est à lire et à relire. Il constitue un vibrant plaidoyer en faveur de la conservation de l'architecture québécoise de « tradition française », dont Gérard Morisset constate la disparition progressive, à la suite d'incendies, de destructions ou de mauvaises restaurations. Le ton est assez sombre dans l'ensemble. En effet, l'auteur va jusqu'à se demander « s'il restera quelque chose de valable de notre patrimoine artistique quand nos enfants auront notre âge », et conclut que « la réponse n'est guère douteuse ».

Après cette entrée en matière, Morisset aborde l'architecture de « tradition française ». Il en établit d'abord les caractères généraux, puis l'étudie selon des types architecturaux différenciés : l'architecture domestique, l'architecture religieuse et conventuelle, l'architecture civile et militaire. Pendant plus de cinquante pages, Gérard Morisset discute des qualités, des origines et des marques distinctives de l'architecture québécoise, du XVIIe siècle au début du XIXe siècle.

Le second chapitre, « Romantisme et Industrie », beaucoup plus court, traite de l'architecture de l'époque victorienne.

Le troisième chapitre, également court, est consacré à l'architecture contemporaine. Gérard Morisset s'y fait l'apôtre d'un nouvel art de bâtir, qui serait le produit de la science et de la technologie, et où on retrouverait le caractère, mais non les formes, de notre architecture ancienne.

À de nombreux égards, les idées, les conceptions et les théories qui composent *L'architecture en Nouvelle-France* s'expliquent par certains traits de la carrière antérieure de Gérard Morisset, notamment par son contact avec l'architecture. Avant d'aborder cet art comme historien, il s'y est d'abord intéressé comme praticien.

En effet, l'ouverture de son étude notariale en 1921 ne l'empêche pas de poursuivre en parallèle une carrière d'architecte. Malgré l'Ordre des architectes qui le harcèle, Gérard Morisset trace les plans de quelques maisons de ville ou de campagne, de petits oratoires ou de monuments divers, mais collabore, surtout avec son ami l'abbé Jean-Thomas Nadeau, à la conception de quelques églises. Le prêtre et le notaire conçoivent ainsi les églises Saint-Pascal-Baylon et Notre-Dame-de-Grâce, toutes deux à Québec, en 1924, et réalisent en 1927 et 1928 les plans de parachèvement des intérieurs des églises de Rivière-à-Pierre et de Saint-Gilbert. À la même époque, c'est-à-dire de 1923 à 1929, Gérard Morisset rédige chaque année un article pour l'*Almanach de l'Action Sociale Catholique*, que dirige son ami Jean-Thomas Nadeau. De concert avec ce dernier, il élabore et diffuse une théorie architecturale rigoureuse, repo-

VIII

sant sur les grands principes d'honnêteté et de logique. Ce sont ces principes, inspirés largement des idées des architectes rationalistes du XIXe siècle, particulièrement celles de Viollet-le-Duc, qui guident son œuvre de concepteur de l'architecture.

En 1929, lassé sans doute d'une situation professionnelle ambiguë, Gérard Morisset décide de poursuivre des études d'architecture en France. Il travaille alors pendant près d'un an à l'atelier de l'architecte lyonnais Tony Garnier, préparant ainsi son entrée à l'École des Beaux-Arts de Paris.

Au cours de l'été 1930, apprenant qu'il a dépassé l'âge requis pour y être admis, il bifurque, non sans quelques regrets, vers l'histoire de l'art. Il s'inscrit alors aux cours de l'École du Louvre, où il prépare une thèse sur *La peinture au Canada français*, qu'il complète en 1934.

De retour au Québec, Gérard Morisset se consacre surtout à l'étude de la peinture. Aussi, les nombreux articles qu'il rédige de 1934 à 1939 ne traitent qu'exceptionnellement d'architecture. En 1937, il est officiellement nommé responsable de l'*Inventaire des Œuvres d'Art*, où il se consacre à la cueillette de données et de renseignements sur l'art du Québec, y trouvant matière à de nombreux textes.

En 1951, Gérard Morisset devient le Secrétaire de la nouvelle *Commission des Monuments Historiques du Québec*. Sa nomination n'est pas sans rapport avec la parution de *L'architecture en Nouvelle-France*. Cette fonction, qu'il cumule avec celle de directeur de l'*Inventaire des Œuvres d'Art* et qu'il cumulera, à partir de 1953, avec celle de conservateur du Musée du Québec, l'amène à s'impliquer dans le processus de conservation et de restauration des édifices anciens du Québec. Sous la conduite de Gérard Morisset, la *Commission* jouera un rôle non négligeable dans la protection du patrimoine architectural, classant comme monuments historiques plusieurs édifices, en restaurant quelques-uns et contribuant financièrement à la remise en état de certains autres. À l'époque, la Commission tente de remédier à certains problèmes soulevés dans l'avant-propos de *L'architecture en Nouvelle-France*.

Ce livre exerça une influence indéniable sur la conservation du patrimoine. Bien plus, il marque un jalon important, si ce n'est capital, dans l'évolution des connaissances en histoire de l'architecture du Québec. Gérard Morisset crée un précédent, car il est le premier à utiliser un vocabulaire et une méthodologie propres à l'histoire de l'art. Il est également le premier à présenter une synthèse originale, reposant sur une analyse serrée de notre architecture de « tradition française ». Il n'hésite même pas à en présenter les « caractères généraux », ce qu'aucun auteur avant lui n'avait fait. Ni Pierre-Georges Roy dans *Les vieilles églises de la province de Québec* (1925) ou dans *Vieux manoirs, vieilles maisons* (1927), ni son fils, Antoine Roy, dans *Les lettres, les sciences et les arts au Canada* (1930), ni Émile Vaillancourt dans *Une maîtrise d'art au Canada* (1920), ni Olivier Maurault dans ses *Marges d'histoire* (1929), ni même Ramsay Traquair dans *The Old Architecture of Quebec* (1947) ou dans ses articles antérieurs, n'avaient tenté une telle opération. C'est tout cela qui fait l'originalité du livre de Gérard Morisset.

La réédition de *L'architecture en Nouvelle-France*, plus de trente ans après sa parution, répond à quatre objectifs.

X

En premier lieu, la réédition est souhaitable parce que ce livre a apporté une contribution importante à l'histoire de l'architecture du Québec bien qu'il ne soit plus à jour. En effet, depuis trente ans, des recherches plus poussées ont jeté une lumière nouvelle sur certains points, certains concepts ont été remis en question, et le goût a évolué. Malgré tout, la lecture de *L'architecture en Nouvelle-France* nous permet de constater la clairvoyance de Gérard Morisset qui, en dépit d'un nombre restreint de documents et d'un inventaire incomplet, a réussi à tracer un portrait remarquable de notre architecture et de son évolution.

En second lieu, ce livre est réédité pour le plaisir de la lecture. Le texte est admirablement écrit, le langage est à la fois précis et imagé, le style, alerte. Gérard Morisset destinait son ouvrage aux amateurs, aux « connoisseurs », comme il se plaisait à dire, mais également aux jeunes et aux profanes. Son texte est toujours clair et limpide, jamais ennuyeux ; Gérard Morisset cherche à faire aimer et comprendre l'architecture.

En troisième lieu, la réédition s'impose parce que le livre n'est plus sur le marché depuis fort longtemps. C'est pourquoi il importe que ce texte puisse enfin être lu par un large public, dans des conditions favorables avec, notamment, une bonne réimpression des photographies. Enfin, nous tenons à marquer, par cette réédition, le dixième anniversaire de la mort de Gérard Morisset, et ainsi rendre hommage à cet homme qui, par ses écrits et son activité créatrice, a souligné l'originalité de l'art du Québec et a amorcé le mouvement pour la conservation de notre patrimoine architectural.

L'ARCHITECTURE

L'architecture en Nouvelle-France doit être perçu comme un classique de notre littérature sur l'art. C'est pourquoi nous ne pouvons pas prendre la liberté d'en altérer le texte, d'y ajouter des notes ou de corriger certains passages. Le texte est présenté dans son intégralité, selon la composition typographique et la mise en page prévues par Gérard Morisset.

Jacques ROBERT
Histoire de l'art
Université Laval
juin 1980

XII

L'ARCHITECTURE
EN
NOUVELLE-FRANCE

DU MÊME AUTEUR

Peintres et tableaux.   2 volumes (1936 et 1937).
      Prix David, 1936.
      Prix de l'Académie des Beaux-Arts de France, 1938.

Coup d'œil sur les arts en Nouvelle-France.   Québec, 1941.

François Ranvoyzé.   Québec, 1942.   *Épuisé*

Philippe Liébert.   Québec, 1943.

Évolution d'une pièce d'argenterie.   Québec, 1943.

Les églises et le trésor de Varennes.   Québec, 1943.   *Épuisé.*

La vie et l'œuvre du Frère Luc.   Québec, 1944.

Le Cap-Santé.   Ses églises et son trésor.   Québec, 1944.

Paul Lambert dit Saint-Paul.   Québec, 1945.
      Prix de l'Académie des Beaux-Arts de France, 1946.

Novembre 1775.   Québec, 1948 (nouvelle illustrée de dix dessins de
      l'auteur, coloriés à l'aquarelle).

COLLECTION CHAMPLAIN

Gérard MORISSET,
de la Société royale du Canada

L'ARCHITECTURE
EN
NOUVELLE-FRANCE

OUVRAGE ORNÉ DE 160 GRAVURES

QUÉBEC
—
1949

À RENÉ GARNEAU,
TÉMOIGNAGE D'AMITIÉ

AVANT-PROPOS

Le livre qu'on va lire n'est pas un ouvrage d'érudition, ni un répertoire d'édifices civils et religieux, ni un dictionnaire de noms d'architectes. Peut-être entreprendrai-je plus tard la rédaction d'un tel ouvrage encyclopédique ; pour le moment, il ne peut en être question.

Mon propos est à la fois plus modeste dans son étendue et plus ambitieux dans son dessein. Car je cherche ici à faire comprendre et sentir ce qu'est véritablement l'architecture, l'art de bâtir — qu'il ne faut pas confondre avec l'art, bien différent, d'orner un édifice ; je veux marquer l'évolution normale de notre architecture pendant les deux siècles qui s'écoulent de l'intendance de Jean Talon au triomphe du romantisme, et sa décadence notoire à partir du jour où nos constructeurs se complaisent dans l'imitation ; je veux enfin faire entendre, non par des raisonnements rigoureux, mais par des notations qui s'adressent à la sensibilité et à l'esprit d'observation du lecteur, que nous avons perdu à peu près tout sens de l'architecture et qu'il est temps de le récupérer si nous ne voulons pas abîmer définitivement le coin de pays où nous vivons.

Il y a deux manières d'abîmer un pays. Soit en faisant disparaître, l'un après l'autre, les monuments dignes d'intérêt qui en sont la parure ; soit en les noyant dans des masses de constructions médiocres qui les soustraient au regard ou leur enlèvent, par un voisinage encombrant, une part de leurs qualités architecturales. Il y a longtemps que nous avons combiné ces deux manières d'enlaidir notre paysage. Et Arthur Buies, s'il revenait sur terre, devrait relever singulièrement le ton de ses épithètes malsonnantes, s'il voulait caractériser comme il convient notre vandalisme et notre inconscience. Il y a moins de cinquante ans qu'il est mort et déjà le vieux Montréal n'existe plus, le vieux Québec est aux trois quarts atteint et, dans la campagne, aucun village n'a su garder le tiers de ses maisons d'autrefois.

Il est vain, je le sais, de gémir sur les choses disparues. C'est le destin inéluctable des œuvres humaines de subir des transformations incessantes avant de périr tout à fait. Mais vraiment, la transformation de la Nouvelle-France s'est faite, depuis trois quarts de siècle, à un rythme tel qu'il est permis de se demander s'il restera quelque chose de valable de notre patrimoine artistique, quand nos enfants auront notre âge. La réponse n'est guère douteuse.

En écrivant ces lignes, j'ai sous les yeux un certain nombre de fiches que j'essaie de tenir à jour depuis une vingtaine d'années ; c'est l'état, fort incomplet,

8

des pertes immobilières que le feu a causées chez nous depuis l'année 1640 — et ces écritures fragmentaires ne portent que sur les églises et les couvents, les édifices publics et les rares habitations sur l'histoire desquelles il est possible de connaître quelque chose de précis ; tout à côté, d'autres fiches, incomplètes elles aussi, me renseignent sur les démolitions et sur ce qu'on appelle poliment les restaurations. En dépit de ses lacunes, le tableau est impressionnant. Les incendies se chiffrent par milliers ; les démolitions, par centaines. Certains millésimes sont particulièrement éloquents ; par exemple 1806, qui voit la destruction du couvent des Ursulines des Trois-Rivières et des églises de Saint-Michel (Bellechasse) et de Chambly ; 1845, 1881 et 1882 se distinguent par des séries imposantes de sinistres ; et 1922 fait masse avec deux incendies considérables : les basiliques de Sainte-Anne-de-Beaupré et de Notre-Dame-de-Québec. En rapprochant certaines fiches, je constate qu'un même édifice a subi jusqu'à cinq incendies — sans compter les restaurations ; ceux qui n'en ont éprouvé que trois ou quatre ne sont pas rares ; les incendies isolés, simples faits-divers, sont la monnaie courante de notre déveine . . . Quant aux édifices qui ont échappé au feu et à la pioche de l'entrepreneur en démolition, je n'en connais aucun qui soit sorti indemne des mains des restaurateurs.

Il importe donc de conserver le peu qui reste du patrimoine architectural de nos ancêtres. Non en l'accommodant à notre goût débile ou au caprice vulgaire de ceux qui se disent peintres-décorateurs ;

9

ni en essayant de le rajeunir à l'aide de recettes archéologiques douteuses et de formes médiocres, que désavoueraient les moins savants de nos anciens maîtres d'œuvre. Mais en l'entretenant avec soin dans l'esprit même qui a déterminé son évolution — c'est-à-dire avec le sens aigu et réfléchi de l'utilité immédiate, de la simplicité et des proportions d'autrefois. La tâche est délicate, pleine d'embûches ; aussi bien ne peut-elle être confiée qu'à des hommes qui soient familiers avec la moindre parcelle de tradition et avec l'esprit des formes.

Il importe ensuite de retrouver, non les formes d'antan — car il en est des formes comme des mœurs : quand elles renaissent, elles sont ou vides de sens ou infécondes —, mais le souffle spirituel qui leur a donné naissance. Aujourd'hui comme autrefois, l'architecture consiste à bâtir des édifices adaptés à leur destination, au genre de vie des êtres qui doivent les habiter, aux matériaux dont ils sont faits, au paysage où ils s'élèvent, au génie particulier de l'époque ; l'architecture est donc un art dialectique, résultat d'une sorte de conversation franche et honnête entre l'architecte, le client et la matière organisable. Mais aujourd'hui comme autrefois, l'architecture digne de ce nom exige autre chose que la réalisation d'un programme exclusivement matériel ; et cette autre chose réside dans les proportions, dans la divine répartition des éléments, dans le chant des lignes et des surfaces. Est-il besoin de faire remarquer que cette exigence de l'architecture, autrefois comblée par la culture professionnelle et l'esprit

10

*traditionaliste des maîtres d'œuvre, ne l'est plus au même degré de nos jours, depuis que l'art de bâtir ne vit plus, pour les trois quarts et demi, que d'improvisation et de formules scolaires. Tout se passe comme si nombre de constructeurs contemporains n'avaient plus ni le temps ni le goût de se livrer au noble jeu des proportions et de chercher avec désintéressement des formes résolument nouvelles. Et cela est d'autant plus regrettable que l'architecture contemporaine aurait intérêt à se faire pardonner, par des proportions bien étudiées et la perfection des détails, sa nudité et son aspect squelettique. Sauf exceptions, je n'observe rien de pareil. L'homme de l'*âge industriel, *qui ne souffre aucune défaillance dans les mécaniques compliquées qu'il construit à son usage et perfectionne sans cesse, consent à vivre dans des habitations de caractère plus ou moins provisoire, de proportions souvent médiocres, d'architecture volontiers banale ou indifférente.*

Si l'on juge une civilisation à son architecture, on peut dire que rarement l'humanité s'est sentie si près de sa fin, tant elle met de hâte à s'abriter dans des huttes pimpantes mais peu solides, qui demain seront des ruines ...

Le lecteur saisit bien maintenant l'esprit de mon livre : faire connaître, comprendre et aimer l'architecture, surtout cette architecture honnête, simple et sensible que nous ont léguée nos pères et que nous avons abandonnée avec une inconcevable insouciance pour nous lancer dans l'aventure stérile et sans gloire de l'architecture archéologique.

Ainsi s'expliquent et la place considérable qu'occupe, dans les chapitres de mon livre, l'étude méticuleuse de la tradition française, et le soin que j'ai apporté à faire revivre par l'image de beaux monuments que nous devrions connaître davantage et d'autres monuments que des générations prétentieuses et vaines ont sacrifiés à l'emballement injustifiable pour des styles surannés.

I

TRADITION FRANÇAISE

A

CARACTÈRES GÉNÉRAUX

TRADITION ET STYLES Pour peu qu'on examine notre architecture d'autrefois, on constate qu'elle est l'œuvre d'un peuple sédentaire et terrien. C'est — le croirait-on dans le pays des coureurs de bois — un art essentiellement statique. Nulle recherche d'équilibre artificiel ; nulle hardiesse et nulle virtuosité dans la mise en œuvre des éléments architectoniques. La pierre et le bois y sont combinés avec la connaissance expérimentalement exacte des ressources de chaque matériau, une saine économie dans leur emploi et un sens architectural qui ne faiblit point. — Et par sens architectural, j'entends aussi bien la faculté de concevoir un plan simple, rationnel et adapté à ce que la société humaine recèle de moins provisoire, que le pouvoir d'exécuter ce plan avec une logique souveraine,

15

des proportions justes et le souci légitime de la durée.

Cette architecture, si elle a poussé quelques rejetons en Nouvelle-France, n'a pas pris naissance chez nous. Elle nous a été apportée au XVIIe siècle par des maîtres d'œuvre français. En France même, elle était déjà ancienne, puisqu'elle remontait au Moyen Âge, à l'époque où les villes et les gros bourgs reconstruisaient en pierre leurs habitations de bois et leurs églises détruites par les Normands. Et c'est bien l'esprit du style roman qu'on perçoit dans les murailles nues et frustes de nos vieilles demeures, dans leurs toitures élancées et coupées de lucarnes, dans leurs cheminées monumentales et leurs coupe-feu, bref dans leurs proportions massives et leur aspect d'édifices fortifiés.

La tradition romane ne se perd point. Un peu partout sur le territoire français, on la voit cheminer à travers les somptuosités du style rayonnant et les extravagances du flamboyant ; on la voit produire quelques œuvres noblement dépouillées au milieu de l'abondance décorative du XVe siècle et refleurir sous les Valois en se parant des éléments nouveaux les plus discrets. La même tradition romane, on la retrouve un siècle plus tard, sous le règne de Louis XIV, mais en province ; c'est elle qui s'oppose au baroque et préserve la France des excentricités italiennes. Elles est toujours robuste, simple sans affectation, à la fois hardie et mesurée ; elle reste toujours la tradition populaire, tant elle résume en elle la pérennité du goût et de la logique du peuple. Mais elle consent à s'orner un peu d'humbles portiques à frontons, de bandeaux moulurés, de corniches et de modillons, voire de cartouches ; elle se fait moins sévère ; elle devient même accueillante — comme une grand'mère qui renouvelle un tant soit peu sa garde-robe et sourit avec infiniment de grâce dans son demi-deuil.

Cette tradition romane mâtinée de style Louis XIV, c'est elle qui s'implante en Nouvelle-France dès la première moitié du XVIIe siècle. Elle se développe pendant soixante-quinze ans dans un milieu de petits bourgeois et d'artisans peu fortunés, même pauvres ; et elle ressemble pendant ce temps-là à ceux qui l'adoptent : elle est humble, sévère et simple, quelque peu altière dans sa nudité ; mais elle reste toujours belle et distinguée. Vienne la prospérité collective des années 1730-1745, elle s'anime d'un peu de luxe ; elle s'éclaire du sourire de la sculpture ; elle participe en somme au bonheur des temps. Les misères de la guerre de Sept Ans et le changement d'allégeance l'affectent à peine : elle est fixée au sol par trop d'attaches pour s'évanouir dans une épreuve passagère.

Quelques années plus tard, quand la petite nation éprouvée est en état de relever ses ruines, la tradition romane brille d'un nouvel éclat ; mais elle n'est plus tout à fait la même. Sous l'action persistante du climat et du milieu et sous l'influence attentive de plusieurs lignées de constructeurs ingénieux et sensibles, elle se canadianise lentement ;

17

2

elle connaît des proportions nouvelles, aussi agréables que les anciennes ; elle se pare d'ornements nouveaux, aussi simples que ceux d'autrefois, mais marqués d'un goût terrien plus prononcé. C'est l'âge d'or de l'architecture canadienne.

Si fortes sont les habitudes artisanales de nos maîtres d'œuvre que la tradition séculaire, devenue nôtre par affinité et commerce quotidien, se maintient et évolue chez nous pendant une grande partie du XIXe siècle. Certes, le romantisme, dans sa béate sentimentalité, la dégrade à son propre niveau ; l'esprit archéologique, dans son aveuglement, ne la reconnaît point ; et les jeunes architectes, dans la suffisance de leurs études livresques, la dédaignent et poussent l'inconscience jusqu'à la honnir. Mais fidèle à ses origines terriennes, elle reste le guide du peuple, l'aliment et la joie de quelques humbles artisans — jusqu'au jour où le peuple lui-même, dévoyé par un progrès uniquement matériel, l'oublie comme un souvenir trop lointain, donc négligeable.

MATÉRIAUX ET PROCÉDÉS En arrivant en Nouvelle-France dans la première moitié du XVIIe siècle, nos premiers constructeurs trouvent, à la surface même du sol et en abondance, des matériaux d'une grande variété.

Sur les rives sablonneuses du Saint-Laurent, surtout dans l'est du pays, ce sont des peuplements de pins géants, peu branchus et très droits, assez hauts pour fournir des fermes de plus d'une soixantaine de pieds de longueur ; çà et là, ce sont des bosquets de chênes et d'érables, de cèdres, de sapins et d'épinettes, presque immédiatement utilisables dans tous les métiers accessoires de l'art de l'habitation ; dans tous les terrains, même en forêt, ce sont d'innombrables cailloux de granit bleu, gris ou rouge, excellente pierre à bâtir que les glaciers préhistoriques ont abandonnée dans leur majestueuse descente vers la mer ; et à l'affleurement du sol ou sous une mince couche de terre meuble, des lits de calcaire gris ou noir, d'ardoise bleue et de marbre clair, présentent des épaisseurs fort variables et une faible résistance aux outils du tailleur de pierre. Quant aux métaux, comme le fer et le cuivre, on les importe d'abord de France ; mais dès le début du XVIIIe siècle, on exploite quelques gisements de la région des Trois-Rivières et du Sault-Sainte-Marie.

Dans la construction des murailles, la pierre qu'on met en œuvre est la belle ardoise de Beauport, le calcaire granuleux de l'île Jésus et le granit des champs, aux tons d'émail ; dans le montage des fondations, c'est habituellement la pierre verte du Cap-Rouge ; dans la taille des linteaux et des pieds-droits des ouvertures, c'est le calcaire gris de Charlesbourg et de Terrebonne. Ces matériaux ne sont pas seulement employés sur place ; à cause de l'excellente organisation du transport fluvial, ils sont parfois mis en œuvre

19

bien loin de leur lieu d'extraction[1]. Plus tard s'ouvriront d'inépuisables carrières de calcaire et de granit — comme celles de Deschambault, de la Rivière-à-Pierre, de Saint-Sébastien, de Philipsburg —, qui fournissent encore une matière première de choix.

Les matériaux de dressage sont employés à la française, avec boutisses et parpaings ; les carreaux, c'est-à-dire les pierres uniquement de façade, sont bloqués dans l'intérieur du mur par des moellons noyés dans un épais mortier de chaux. Quand le parement de la muraille est fait de roches de granit, chacune est liée à ses voisines par un lit de mortier blanc qui l'entoure de cinq côtés ; la muraille prend alors l'apparence de l'appareil polygonal. Parfois, on soustrait le mur à l'action des intempéries, surtout du côté du nord-est, en l'enduisant d'une couche de mortier ; comme ces crépis ne tiennent que médiocrement, on les remplace par un revêtement de planches à couvre-joints, comme à la façade nord-est de maintes maisons de la région de Québec.

Si nos matériaux sont généralement de bonne qualité, d'extraction et d'emploi relativement faciles, d'où vient que tant de nos monuments d'autrefois soient tombés en ruine quelques années

---

1. Je cite comme exemple que la pierre de la première église de Saint-Roch, à Québec, édifiée vers 1812, a été transportée en barque de l'île Jésus aux quais de la Saint-Charles. J'ajoute que les manteaux de cheminées et les pierres tombales de grandes dimensions étaient, au XVIIIᵉ siècle, presque toujours extraites de la falaise du Cap-Santé.

après leur achèvement ? C'est que l'expérience de nos premiers maîtres-maçons est purement française, nullement canadienne. Ils connaissent sans doute l'extrême rigueur du climat laurentien ; et après trois ou quatre hivers passés dans les habitations incommodes de notre âge héroïque, ils n'entretiennent aucune illusion sur la température du pays. Mais on peut dire que pendant longtemps ils ignorent l'action profonde du gel et du dégel sur les masses de maçonnerie, le coefficient de porosité de certaines roches, la réaction de la chaux à l'humidité, les méfaits des vents persistants, l'état de certains sous-sols, la nature des terrains d'alluvion — par exemple, le bassin du lac Saint-Pierre —, la friabilité des dépôts d'ardoise ... Ce n'est pas de malfaçon ni de négligence qu'il faut les accuser quand leurs ouvrages se lézardent sous l'action du froid ou se désagrègent brusquement ; c'est d'inexpérience. Et il convient de remarquer que cette inexpérience est parfois le point de départ de variantes architecturales dignes d'intérêt. En voici un exemple typique : conformément à la tradition française, nos premiers maîtres-maçons couronnent les murs gouttereaux de leurs édifices par une dalle creusée en chéneau, chargée de recevoir les eaux de la toiture ; avec notre climat, le gel ne tarde pas à faire éclater le chéneau de pierre d'abord, puis la tête de la muraille ; il devient donc nécessaire de reporter le larmier loin du mur ; c'est l'origine de nos toitures en forme de cloche.

21

Dans la charpenterie et la menuiserie, nos artisans emploient au début presque toutes les essences de bois qu'ils ont sous la main. Avec les années, le chêne est réservé à la construction maritime ; le sapin et l'épinette, à la construction des granges et des appentis ; le frêne, à certaines parties de mobilier, les surfaces courbes ; le noyer tendre, à la menuiserie fine. À cause de son abondance et de ses qualités de taille et de cohésion, le pin devient par excellence le bois de charpente. Aussitôt abattu, il est — comme les autres bois d'ailleurs — mis en « cage » sur quelque rivière ou sur le Saint-Laurent ; il y passe souvent deux années entières ; après ce traitement, sa fibre est parfaitement élastique et ne travaille plus. En charpenterie, on en fait des *chevrons portant fermes*, de faible section (environ huit pouces par cinq), assemblés à chevilles, tenons et mortaises ; ils sont établis en triangle indéformable par des entraits, des poinçons et des contrefiches, toujours assemblés à chevilles de bois. La couverture comprend de larges planches de sapin, sur lesquelles est posé le bardeau de cèdre. Dans les édifices de construction plus soignée, comme le Séminaire de Québec, élevé de 1677 à 1680, ou l'ancien Collège des Jésuites, la couverture est faite d'ardoise ou de tuile importées de France. On ne commence à utiliser le fer-blanc d'étain qu'au début du XIXe siècle.

À l'intérieur, tout édifice est étrésillonné par des murs de refend ou des cloisons ; les premiers sont en maçonnerie ; les secondes, en plein bois. Les poutres des planchers, largement équarries et chanfreinées à la *plaine*, sont scellées dans les murs et retenues par des fers forgés en forme d'S, visibles au dehors. La menuiserie des embrasures des fenêtres et des volets, des portes et des meubles est faite en pannelage dont la mouluration, en raison du bouvet à clefs que possède tout artisan, est d'une grande variété. Les plafonds et les fausses-voûtes en bois sont d'une facture remarquable. Les plafonds, ceux des tribunes d'église aussi bien que ceux des habitations, sont faits de très larges planches de pin — elles atteignent parfois quinze pouces —, dont les joints sont masqués par des planchettes moulurées ; d'où l'aspect de caissons à fleur de bois que prennent ces délicats ouvrages de menuiserie. Les fausses-voûtes à caissons, fort à la mode entre 1800 et 1850 en dépit de l'ostracisme de l'abbé Jérôme Demers, se construisent sur le même principe que les plafonds ; mais leur exécution est beaucoup plus compliquée. D'abord par le dessin hexagonal ou octogonal des caissons ; ensuite par la courbure de la voûte — et le problème est particulièrement ardu dans les absides arrondies en anse de panier. Les caissons sont habituellement fournis de rosettes sculptées et dorées.

Pendant longtemps le chauffage de nos édifices anciens — sauf les églises, qui ne sont guère chauffées avant les environs de 1845 — est assuré par des âtres proportionnés aux pièces qu'ils tempèrent de leur chaleur ; d'où le nombre et le caractère architectural des cheminées, et leur importance dans la silhouette des édifices. À la campagne, bien des maisons ne possèdent qu'une cheminée, placée suivant la disposition des pièces à desservir. À la ville, les murs mitoyens, imposés par la *Coutume* et le bon sens, se transforment en cheminées ; il n'est pas rare qu'ils soient percés d'une dizaine de gaines et couronnés d'autant de mitrons. Les cheminées deviennent alors monumentales et constituent l'élément le plus caractéristique et le plus visible de l'architecture urbaine.

Enfin, la serrurerie est généralement en fer forgé, œuvre du forgeron du village ou du quartier. Dans les édifices civils et conventuels, elle est souvent en laiton. Dans l'un et l'autre cas, ses formes aplaties et ses ajours fantaisistes accentuent l'impression rustique qui se dégage de presque toutes nos constructions d'autrefois.

B

ARCHITECTURE DOMESTIQUE

CARACTÈRES PERMANENTS La maison canadienne a une histoire assez obscure. Tant de sinistres l'ont éprouvée depuis les débuts de la colonie, tant de campagnes militaires et d'escarmouches, sévissant sur presque tout le territoire, l'ont blessée plus ou moins profondément, tant de restaurations malencontreuses ou d'autres causes ont pesé sur elle de tout le poids de la fatalité, que son évolution, déjà difficile à concevoir, en est rendue confuse. Et comme pour ajouter à cette confusion, les documents graphiques qui la représentent sont rares et les pièces authentiques qui la décrivent — devis et marchés de construction —, entassées par dizaines de milliers dans les archives judiciaires et les minutiers, n'ont pas encore été l'objet de recherches méthodiques et constantes.

Aussi bien n'ai-je pas l'intention d'en esquisser ici l'histoire, même sommaire, ni d'échafauder des

25

hypothèses plus ou moins plausibles sur son évolution. Groupant en faisceau les éléments que je possède, je voudrais plutôt considérer la maison canadienne en dehors de son histoire ; par exemple, dans ses caractères permanents, dans quelques-unes de ses variantes locales et dans certaines de ses plus aimables qualités.

La maison canadienne est un édifice essentiellement nordique, qui nous vient d'ailleurs de la France septentrionale. Elle est conçue et construite pour résister à un climat froid et humide, à la pluie et à la neige. Ainsi s'expliquent ses murailles basses et épaisses, percées de fenêtres et de portes de dimensions modestes, qui s'ouvrent souvent sur le côté où la brise se fait le moins sentir ; son comble fortement incliné, dessiné en triangle isocèle et couvert en bardeau de bois ; ses cheminées formant éperons à chaque bout de l'édifice et contenant autant de gaines que de pièces à chauffer. Habitation saine et d'atmosphère plaisante, quoi qu'on en dise ; car elle n'est chauffée que par des âtres qui aspirent toute humidité, et elle est ventilée, non seulement par les entrées et sorties des gens de la maison, mais surtout par ces ingénieux appareils à éventail, alors partout en usage et aujourd'hui presque disparus, qui s'ajustent aux carreaux des fenêtres et fonctionnent automatiquement par la simple pression de l'air. Habitation solide et spacieuse, construite par de bons ouvriers et avec des matériaux de choix, faite pour durer des siècles, tout au moins

26

aussi longtemps que la vigoureuse lignée de terriens qui est destinée à y vivre.

La maison canadienne est encore — et ce trait permanent se perpétuera à la campagne jusqu'à nos jours — un abri où loge habituellement une famille nombreuse qui vit tout le jour dans une seule et grande pièce, la cuisine-salle à manger, et ne passe strictement à la chambre que les heures de sommeil. Le rez-de-chaussée comporte donc une grande salle orientée vers le sud-est, irrégulièrement éclairée suivant la disposition des armoires et des meubles ; c'est la salle de famille. Les chambres à coucher, sises au premier étage, peuvent donc être exiguës, médiocrement chauffées et pourvues de petites fenêtres, même de minuscules lucarnes, puisqu'on n'y passe que les heures de la nuit. Bref, toute la vie familiale est concentrée dans la salle où s'écoule son existence intime ; et comme cette pièce n'est pas souvent dans l'axe du bâtiment, il en résulte un manque de symétrie qui étonne le badaud d'aujourd'hui, parce qu'il ne se donne pas la peine d'en deviner la raison.

Voici un autre caractère permanent de la maison canadienne : la justesse de ses proportions. C'est la qualité que de tout temps on lui a reconnue. De quoi est-elle faite ? On imagine naïvement une sorte de recette magique, que chaque ouvrier du bâtiment conserve en secret dans son coffre d'outils et applique avec conscience à chaque construction nouvelle : étant donné telle longueur et telle profondeur de carré de maison, ordinairement déterminées par le client, les combles doivent avoir telle inclinaison, les cheminées telle importance, les fenêtres et les portes telles dimensions, les larmiers et les moulures telle saillie. Cette idée de recette passe-partout flatte assurément notre paresse d'esprit, car l'âge où nous vivons s'accommode aisément de procédés uniformes de fabrication. Mais quand on examine attentivement nos maisons d'autrefois, on s'aperçoit qu'il n'y en a pas deux qui ont les mêmes proportions. Les variantes sont infinies ; elles sont assurément très voisines les unes des autres, mais elles sont distinctes, facilement identifiables ; et ce sont elles qui assurent l'individualité de chaque habitation et constituent le jeu même de l'évolution de notre architecture domestique. J'insiste sur l'une de ces variantes, l'inclinaison des toitures. Au début, les versants de toute toiture se coupent à soixante degrés ; vers 1800, ils sont à angle droit ; cinquante ans plus tard, ils prennent l'allure d'un accent circonflexe aplati. L'inclinaison de la toiture ne sert pas seulement à dater une maison. Elle devient une sorte de moyenne proportionnelle ; car à mesure qu'elle s'infléchit, les autres éléments de la maison subissent des transformations que j'appellerais volontiers complémentaires.

La « section dorée »[1] joue-t-elle un rôle dans la composition du plan de certaines de nos maisons ?

---

1. La *section dorée*, dite aussi *proportion divine*, s'exprime mathématiquement par cette formule : 0,618 : 1 : : 1 : 1,618 ; ou encore : a : b : : b : a + b. Dans l'*Architecture française*, Pierre Lavedan cite quelques autres formules de ce genre.

On n'en a trouvé aucune preuve écrite ; mais il n'est pas du tout impossible que des maîtres-maçons aient conservé, de leur apprentissage en France, des formules du même genre. Il existe en effet dans notre architecture domestique des maisons galbées avec tant de science et de perfection (comme la maison Soulard, à Neuville ; la maison Jodoin et la laiterie Richard, à Varennes ; la maison Villeneuve, à Charlesbourg ; la maison Hêtu, à Lanoraie . . .), qu'elles évoquent l'idée d'un « nombre d'or » magique que des maîtres d'œuvre amoureux de belles proportions se seraient transmis comme un précieux héritage artisanal.

Quoi qu'il en soit, il y a longtemps qu'on a fait la remarque que les proportions mêmes des édifices peuvent être rendues plus attachantes par la vibration de certaines lignes. Je m'explique. Si dans un rectangle en largeur, l'on inscrit, juste au centre, un petit rectangle en hauteur — en somme, c'est le problème de la porte dans la façade d'une maison —, il en résultera un genre de beauté stable, indiscutable au vrai sens du mot ; la symétrie parfaite engendre une stabilité reposante. Mais si l'on transforme le même rectangle en trapèze légèrement fuyant vers le ciel et si l'on déplace, d'une fraction minime à gauche ou à droite, le petit rectangle en hauteur, on aura un jeu de lignes inquiétant, donc digne d'observation, une sorte de vibration des lignes verticales. Dans le premier cas, les deux rectangles vivent indissolublement ; dans le second, chacun possède sa vie propre et pèse sur son voisin : les éléments chantent (pl. 33*a* et 73).

Cet art des lignes inquiétantes, du désaxement des vides, en un mot de la dyssymétrie vivante, nos maîtres d'œuvre l'ont possédé à un degré peu commun. Chez eux, ce raffinement esthétique est à la fois instinctif et volontaire. Ils sentent que l'accent d'un jeu de proportions tient à une différenciation, même peu accusée ; et celle-ci, ils la veulent par besoin de logique rigoureuse. Logique dans la distribution des pièces, dans la percée des ouvertures, dans le tracé et l'importance des fenêtres, dans la forme des cheminées, dans la mise en œuvre des matériaux, dans le travail même du bois. Voici deux exemples de cette logique paysanne qui amène inévitablement la dyssymétrie.

Les cheminées de certaines habitations, au lieu d'être rectangulaires, offrent au centre de leur section une forte saillie. En coupe, elles prennent l'allure d'un T majuscule. La raison en est simple : ces cheminées portent trois gaines. Les deux extrêmes desservent les âtres de l'étage, tandis que la gaine centrale reçoit la fumée de l'âtre de la cuisine, plus abondante que dans les deux autres. Il est donc logique que cette gaine soit plus grosse ; d'où l'aspect de la cheminée (pl. 34*b*).

L'autre exemple est plus concluant. Chacun sait que la maison canadienne ne possède qu'un minimum de symétrie : celle de ses pignons et des versants de sa toiture. Le reste — portes, fenêtres, lucarnes — paraît avoir été percé au hasard ; bien plus, parfois la porte d'entrée ne se trouve pas à la façade principale, et les fenêtres, disposées fort irrégulièrement, n'ont pas la même mouluration ni la même surface. La raison en est encore simple. La maison est conçue pour la commodité de ceux qui l'habitent ; c'est donc la répartition des pièces, leur chauffage et leur éclairage qui commandent le dessin des façades. Si la porte d'entrée s'ouvre sur une façade latérale, c'est que l'endroit est plus convenable au va et vient des gens de la maison, ou moins exposé aux intempéries. Si les fenêtres sont distribuées irrégulièrement ou si elles sont de dimensions différentes, c'est d'abord que les chambres ne sont pas toujours les unes au-dessus des autres, et ensuite qu'autrefois on calcule l'éclairage d'une pièce tout comme aujourd'hui on en calcule le chauffage : à petite pièce, fenêtre exiguë ; à grande pièce, grande fenêtre[1]. Et aux yeux du badaud qui passe distraitement et n'a pas l'idée de réfléchir sur ce qu'il voit, la maison est malheureusement dépourvue de cette symétrie parfaite qu'il chérit et qu'il regarde comme la première qualité, sinon la seule, de l'art de bâtir.

Nos ancêtres étaient trop réalistes et trop sensibles à la beauté pour admettre la symétrie rigoureuse. Ils avaient le sens du rythme ; et ce sens s'accordait chez eux avec je ne sais quel génie

---

1. L'impôt sur les *jours* et *vues* créé par Louis XIV n'est pas étranger, sans doute, à cette habitude de calculer l'éclairage des pièces habitables.

de la belle muraille de granit et d'ardoise admirablement proportionnée, sur laquelle coulent les rayons du soleil pour y créer des ombres pleines d'attrayant mystère ...

TYPES D'HABITATIONS En considérant la maison canadienne au point de vue de ses formes, je remarque que pendant près d'un siècle, elle se ramène à deux types principaux : la maison de la région de Montréal, et la maison de la région de Québec.

La maison montréalaise, courte, massive, presque aussi profonde que large, flanquée de cheminées robustes et de coupe-feu, construite en gros cailloux noirs ou de ton rouille noyés dans un épais mortier blanc, percée de fenêtres exiguës et souvent pourvue de lucarnes, semblant surgir de terre comme une forteresse domestique, nous vient directement de la Basse-Bretagne, de l'Anjou et du Maine (pl. 8 à 11).

Au contraire, la maison québecoise, longue, peu profonde, souvent enduite de mortier d'un ton ocre clair ou simplement blanchie à la chaux, coiffée d'une toiture très élancée et couverte en bardeau, éclairée de fenêtres assez grandes pourvues de volets peints, surmontée parfois de trois, même quatre cheminées, est le type même de la maison normande, plus précisément de l'accueillante habitation de la Seine-Inférieure (pl. 1 à 7).

La première est imposante, souvent empreinte d'une grandeur farouche. De l'autre se dégage une sorte de sérénité aimable et insouciante.

Entre ces deux types nettement caractérisés, il y a place à une variété infinie. Nos maîtres-maçons ont modulé à leur guise sur ces thèmes féconds, avec beaucoup d'ingéniosité et une fantaisie inépuisable. Et comme leurs entreprises les amènent aux quatre coins de la Nouvelle-France — car on voyage beaucoup en ce temps-là — , ils laissent un peu partout des témoignages de leurs propres traditions et assimilent volontiers les habitudes techniques et les trouvailles des autres. Et c'est ainsi qu'en empruntant à la maison montréalaise quelques-uns de ses traits, et certains éléments à la maison québecoise, ils donnent naissance à un nouveau type d'habitation, ils créent l'habitation purement canadienne, celle de l'époque 1800-1860 (pl. 13a, 16 à 22).

En la comparant à la maison du XVIIIe siècle, on constate qu'elle est pourvue d'un sous-sol plus élevé, utilisable comme cellier ou cave à légumes ; que ses murs gouttereaux sont plus importants, sa toiture moins aiguë, ses cheminées moins monumentales. Ces différences ne laissent pas d'influer sur le galbe de l'ensemble. Elle est toujours d'une architecture aussi simple, aussi imposante, aussi bien proportionnée. Mais elle devient plus avenante, plus accueillante avec son portail à pilastres sculptés, ses chambranles moulurés, ses lucarnes plus sveltes, sa corniche à modillons. Elle est

généralement construite en pierre. Parfois, par
mesure d'économie, on la bâtit en bois ; mais ce
matériau n'a pas d'influence sur la forme de l'édifice : le maître-charpentier galbe ses maisons de bois
tout comme le maître-maçon ses maisons de pierre.

On en trouve d'admirables exemples dans toutes
les régions de la Province, notamment sur la côte
de Beaupré. Dans le rang de la Beauce, au sud-
est de Verchères, on en peut voir un groupe particulièrement typique. Sur une distance de près
d'une lieue, dans un paysage dominé par le bleu
pastel du mont Saint-Bruno, plus de quinze maisons de pierre, élevées entre 1800 et 1845, marquent
les caractères généraux de ce type. Elles ont un
air de famille indéniable, des détails communs.
Cependant, personne n'oserait les confondre ; non
pas à cause de leurs dimensions différentes, mais
de leurs proportions intimes, de leurs variantes, de
ce « rien qui est tout et donne le sourire aux
choses », selon le mot de Le Corbusier ; et dans ce
rien, il faut compter encore les effets fantaisistes
de la dyssymétrie.

Dans les environs de 1840, les maîtres-maçons
du pays ne sont plus les seuls dans la construction
domestique. Depuis quelques années, des architectes et constructeurs britanniques travaillent
dans le même sens, spécialement pour leur clientèle anglaise, et introduisent en Nouvelle-France
des modèles d'habitations importés d'Angleterre.
N'exagérons rien : ces modèles ne sont que deux,
et ce ne sont pas tout à fait des nouveautés.

L'un est la maison anglo-normande, dont nous possédions déjà le type dans les maisons qu'on a élevées au début du XVIIIe siècle à l'exemple de la maison Villeneuve à Charlesbourg et de la maison Routhier à Sainte-Foy (pl. 3*a* et *b*). C'est une habitation en longueur dont la toiture est à quatre versants. Ce qui est nouveau dans le type importé d'Angleterre, c'est la faible inclinaison de la toiture, c'est la saillie des larmiers qui forment galerie sur les quatre côtés ; les murailles de ces maisons sont souvent élevées en brique d'Écosse. Le chef-d'œuvre de ce genre est la maison Turcotte, à Sillery (pl. 21) ; c'est un édifice parfaitement symétrique ; l'impression qui s'en dégage en est une de reposante stabilité ; quand nulle brise ne s'élève et que les feuilles des arbres voisins bruissent dans l'atmosphère poudreuse d'un matin vaporeux, le monument s'anime sous la caresse de l'aube ; dans le soleil vertical de midi, il forme avec son ombre une masse pyramidale que rien ne distrait de son attachement au sol. Il existe plus de deux cents maisons de ce genre, dispersées dans les alentours des villes — ce qui paraît indiquer leur caractère de maisons de campagne ; elles sont presque toutes symétriques ; les unes sont en brique d'Écosse ; les autres, en empilage de grosses pièces de bois de pin, recouvertes de planches ; quelques-unes sont en pierre de rang ou en cailloux de granit. La variété de leur silhouette est assez faible ; mais leurs proportions sont toujours attachantes (pl. 20 à 25).

Dans l'imitation de ce style d'architecture domestique, nos constructeurs apportent beaucoup d'ingéniosité et de fantaisie. Ils suppriment les galeries extérieures comme étant inutiles ; ils rétablissent la dyssymétrie ; ils relèvent considérablement la flèche de la toiture. Ainsi apparaissent quelques petites maisons à Québec-Ouest (pl. 24*b*), à Lévis et au Cap-Rouge (pl. 24*a*), véritables bijoux d'architecture campagnarde. Parfois, ils appliquent la même forme de toiture à des édifices accessoires, comme remises ou laiteries, granges ou lavoirs (pl. 23*b* et 34*a*). Un grand nombre de laiteries anciennes sont couvertes en pavillon et participent ainsi du même style (pl. 34*a*).

L'autre type importé d'Angleterre est la maison monumentale, à plusieurs étages, assez grande pour abriter des familles et fournir boutiques et magasins à des négociants ou à des compagnies d'hommes de métier. Les premières datent de la fin du XVIIIe siècle et servaient de postes aux traitants en fourrure. Il en reste encore quelques-unes, surtout dans les environs de Montréal ; elles ont si grand air et tant de distinction qu'on les prend parfois pour des couvents — et il n'est pas impossible que notre architecture conventuelle ait étendu son influence jusqu'à ces maisons de commerce (pl. 19*a*). Ce type n'est pas nouveau chez nous. Au XVIIIe siècle, chaque village possède sa forge et sa boutique de charron établies au rez-de-chaussée de maisons plus grandes que les voisines ; la famille du forgeron ou du charron se

36

loge à l'étage, auquel elle accède par un escalier extérieur ; si l'étage ne suffit pas, elle s'installe jusque sous les combles (pl. 20*b*). — La même chose a lieu de nos jours dans les constructions qu'on appelle improprement garages.

Cependant, il faut reconnaître que les vastes constructions de nos premiers industriels ou des « bourgeois du Nord-Ouest », si elles n'ont pas fait directement école, ont contribué à l'agrandissement progressif de la maison d'habitation. Je ne parle pas ici des manoirs seigneuriaux, dont l'importance architecturale ne pourrait être que symbolique, et qui restent d'ailleurs des maisons peu différentes des autres (pl. 17 et 18*a*). Je parle de certaines maisons campagnardes qui n'abritent apparemment qu'une seule famille et qui étonnent le passant par leurs proportions imposantes ; elles ont trois, parfois quatre étages, et autant de cheminées ; elles sont construites avec beaucoup de soin et des matériaux de choix ; la plupart sont isolées, visibles de tous côtés et, chose remarquable, toujours adaptées au paysage. Les plus charmantes se trouvent sur la rive sud du Saint-Laurent, entre Beaumont et la Rivière-du-Loup (pl. 13*a* et *b*) ; on en peut voir d'autres, plus imposantes encore, dans la vallée de la Richelieu et dans la grande banlieue de Montréal.

Ces œuvres d'architecture sont évidemment d'une époque de grande prospérité ; elles datent presque toutes de la première moitié du XIXe siècle. C'est l'époque des grandes fortunes, édifiées patiemment dans la traite des fourrures, dans l'importation européenne ou dans l'industrie naissante. Chaque nouveau-riche, après avoir étonné ses contemporains par la soudaineté et l'ampleur de sa fortune, l'étonne bien davantage par le faste de son train de vie, de ses nombreux équipages, de son mobilier en bois des Îles, surtout de sa demeure. Les *villas* des millionnaires de l'époque, élevées à grands frais sur les flancs du Mont-Royal ou au plus profond des frondaisons du chemin Saint-Louis, ont beaucoup souffert de leurs propriétaires successifs — car les fortunes disparaissent comme les familles ; elles sont devenues méconnaissables pour la plupart. Les mieux conservées sont des gentilhommières sans prétention, isolées dans la campagne derrière un rideau d'ormes ou une haie d'aubépines (pl. 23*a*). La plus élégante est le joli manoir Bleury, à Saint-Vincent-de-Paul. La plus somptueuse — c'est une résidence quasi princière par l'ampleur de ses dimensions et la richesse de ses matériaux — et la plus classique est le manoir Masson, à Terrebonne (pl. 44*a*) ; son architecte, Pierre-Louis Morin, a sûrement consulté ses souvenirs d'enfance dans l'édification de cette demeure magnifique, un tant soit peu solennelle ; peut-être a-t-il voulu prolonger en Nouvelle-France l'art subtil des maîtres d'œuvre normands qui, en pleine Renaissance française, ont fleuri leur coin de terre de gentils châteaux ornés à fleur de pierre et entourés de jardins.

ARCHITECTURE URBAINE Champlain nous a laissé une description et un dessin de l' « Abitation de Québec », édifiée en 1620 ; c'était une maison de bois d'apparence militaire ; elle n'a pas duré. Il en est ainsi des habitations qui se sont élevées à Québec, à Montréal et aux Trois-Rivières au XVIIe siècle ; construites presque toutes en bois, elles n'ont pu échapper à l'action des intempéries ni aux nombreux sinistres qui ont dévasté nos villes.

Ce n'est guère qu'au début du XVIIIe siècle, sous l'intendance des Raudot et de Beauharnois, qu'on se préoccupe de la construction rationnelle de nos villes et, jusqu'à un certain point, de leur embellissement[1]. Il faut d'abord réduire le plus possible les causes d'incendies et s'efforcer d'en circonscrire les dégâts ; il faut ensuite prévoir que les trois villes de la colonie ne sont pas à l'abri des entreprises militaires — et le siège de Québec en 1690 a fait réfléchir les citadins aussi bien que les autorités. Ainsi s'expliquent les mesures qui régissent désormais la construction urbaine : obligation de construire en pierre — tout au moins les habitations — ; d'isoler les toitures par des coupe-feu dont la saillie est déterminée ; de couvrir les toitures de matériaux sinon incombustibles, du moins autres que le chaume traditionnel ; de respecter les alignements de voirie et de libérer les abords des fortifications . . . L'aspect des villes —

---

1. Cf. *Édits et ordonnances des intendants*, passim.

et je m'excuse d'abuser un peu de ce mot — en est radicalement changé. Québec et Montréal commencent à ressembler aux petites villes du nord de la France (pl. 25 à 28).

Cependant, il n'en faut pas conclure que la maison urbaine soit tellement différente de l'habitation campagnarde. Dans les rues de négoce et d'artisanat, elle ne se différencie guère de la maison-boutique dont je parlais tout à l'heure ; au rez-de-chaussée, un magasin ou un entrepôt, un atelier de menuiserie ou une forge ; à l'étage et sous les combles, l'appartement familial. Dans les autres rues, qui ne sont pas nécessairement réservées à l'habitation, les maisons sont pressées les unes contre les autres et, comme elles sont de hauteurs différentes, elles donnent aux rues un caractère plaisamment pittoresque ; elles sont percées d'un couloir destiné aux voitures ; le portail est souvent encadré de pilastres et surmonté d'un fronton. De la chaussée, on ne voit que façades irrégulières, colorées des tons vifs de leurs volets ; et là-haut, des lucarnes à double versant, des coupe-feu portant sur des corbeaux, des cheminées à mitrons rouges (pl. 26*a* et 28*a*). D'une certaine hauteur — comme du haut de la falaise à Québec — , ce ne sont que des toits sombres hérissés de lucarnes, des cheminées profondes comme des contreforts. Les cours intérieures sont plus pittoresques encore avec leurs galeries de bois, leurs escaliers et leurs soupentes. Le plan en relief de Jean-Baptiste Duberger, façonné entre 1805 et 1811, nous en offre des détails véridiques, qui ont malheureusement disparu.

Dans l'agglomération de Québec, dont l'enceinte est réduite par les fortifications à la Vauban qu'on a érigées au début du XVIIIe siècle, il reste peu d'espace disponible pour les hôtels particuliers — c'est-à-dire ces habitations plus luxueuses que les autres, isolées sur toutes leurs faces et entourées de jardins à la française. Ceux qui bordaient la rue des Remparts et les rues avoisinantes ont été vite enclavés dans des constructions disparates, ou bien ils ont été démolis.

Montréal en a compté bien davantage. Citons-en deux. Le Château Ramesay, construit en 1705, participe à la fois de l'hôtel parisien et de la maison campagnarde canadienne de cette époque. De celle-ci, il tient son aspect général, le galbe de sa toiture et de ses cheminées, et le détail de ses éléments extérieurs ; de celui-là, il tient le plan de ses pièces en enfilade, les voûtes de pierre de son sous-sol et une part de sa décoration (pl. 25a). Quelques années plus tard, en 1723, Chaussegros de Léry donne le plan du Château Vaudreuil ; il a été détruit dans un sinistre en 1803, mais il en reste un dessin de Wilhelm Berczy fils ; c'est une gentilhommière normande, précédée d'un escalier en fer à cheval — souvenir fort atténué des châteaux français de la Renaissance (pl. 35a).

41

REMISES ET DÉPENDANCES — Toute cette architecture, robuste et bien proportionnée, semble se condenser parfois en de tout petits édifices, qui sont souvent des chefs-d'œuvre de dessin et de bon goût. Je veux parler des laiteries et des caves à légumes, des lavoirs et des remises, des fours à pain et des casemates, des moulins à vent et à eau.

Ce sont habituellement des édifices en maçonnerie. Loin d'être des réductions mécaniques des maisons qui les avoisinent, ils possèdent leur échelle propre, leurs proportions, leurs caractères, leur silhouette particulière. La cave à légumes de la région de Varennes (pl. 33a et b) est une sorte de pagode gentiment galbée ; celle de la côte de Beaupré — le frigidaire est en train de la faire disparaître — est creusée dans le talus de la côte et ne présente qu'une façade de maçonnerie en demi-lune ; d'autres, comme la laiterie Pouliot, à Sainte-Croix (pl. 34a), sont d'une grande perfection de formes.

Les lavoirs et les remises sont de taille plus grande ; mais ils possèdent des caractères identiques. On en peut dire autant des moulins à vent et à eau, dont les dimensions varient suivant l'importance de l'entreprise de leurs propriétaires, mais dont le style est parfaitement adapté à leur destination (pl. 7b). Le chef-d'œuvre du genre était assurément le moulin Fortin, à la Baie-Saint-Paul (pl. 14) ; construit dans les dernières années du XVIIe siècle, c'était un édifice imposant,

42

admirablement maçonné ; actuellement, il tombe en ruine. Le moulin Tonnancour, à la Pointe-du-Lac, est l'un des mieux conservés de ces vastes édifices utilitaires.

Le four à pain, fort populaire chez les illustrateurs, comporte des variantes plus nombreuses que les autres dépendances de la maison canadienne. Je ne parle pas évidemment du four à pain intérieur, construit au sous-sol ou au rez-de-chaussée de la maison ; son importance architecturale est réduite à peu de chose. Mais le four à pain extérieur est, à la campagne, l'accessoire le plus pittoresque de toute ferme. Il y en a de deux sortes : le four construit en forme de coupole et abrité sous un auvent en planche ; le four à haute cheminée, soit isolé (pl. 32), soit accolé à une remise — comme le four du domaine de Gaspé, à Saint-Jean-Port-Joli. L'un et l'autre comprennent des œuvres d'un charme inépuisable.

C

ARCHITECTURE RELIGIEUSE
ET CONVENTUELLE

ÉGLISES À LA RÉCOLLETTE ET À TRANSEPT Alors qu'en France, presque toute l'architecture religieuse du XVIIe siècle et d'une partie du siècle suivant appartient à ce qu'on appelle communément le style Jésuite, on ne constate rien de semblable en Nouvelle-France. Notre architecture religieuse, tout comme notre architecture domestique, vient de la province française ; elle a son origine dans le style roman et elle tire une part de son décor du style Louis XIV.

Mais au Grand Siècle, le style architectural n'est point uniforme ; il comporte de nombreuses variantes, au premier rang desquelles se place précisément l'ensemble des formes décoratives qu'a mises à la mode le Père Martelange. L'une de ces variantes, fort peu connue, même des érudits, vient d'un ordre religieux qui a disparu depuis plus d'un siècle et qui a joué un rôle considérable dans l'Église canadienne, les Récollets. À leur retour en Nouvelle-France en 1670, ils comptent parmi eux un architecte-peintre, le Frère Luc, et un constructeur, le Frère Anselme Bardou ; vers 1690, l'architecte de l'Ordre est le Père Juconde Drué. Au reste, il y a toujours chez les Frères Mendiants quelques religieux qui s'adonnent aux arts : Augustin Quintal et Martin de Lino, François Brékenmacher et Louis Demers. Il n'est donc pas étonnant que le style *à la récollette* se soit imposé à quelques-unes de nos églises, notamment sous l'Ancien Régime.

Il apparaît à Québec en 1670, à la propre chapelle des Récollets — aujourd'hui la chapelle de l'Hôpital-général. Il comporte une nef unique, fermée par une fausse-voûte en anse de panier, dont on aperçoit parfois les entraits, les poinçons et les contre-fiches ; la nef se termine à l'orient par un abside carrée, dont l'ornementation affecte la forme d'un arc de triomphe antique. Après la vente de leur couvent à monseigneur de Saint-Vallier en 1692, les religieux construisent, face au château Saint-Louis, de nouveaux bâtiments conventuels dont Juconde Drué a tracé les plans ; comme il faut s'y attendre, la chapelle est de style à la récollette. La mode est lancée. On en peut suivre les effets au cours du XVIIIe siècle dans les anciennes églises de l'Ange-Gardien et de Sainte-Anne-de-Beaupré, de la Pointe-aux-Trembles (près Montréal) et d'Yamachiche ; dans la chapelle des Ursulines de Québec, dans l'actuelle église du Sault-au-Récollet et dans d'autres églises qui ont disparu. Finalement, ce mode de bâtir est abandonné à la fin du XVIIIe siècle, à la suite des critiques acerbes mais pertinentes de monseigneur Briand. On n'en conserve plus que le décor de l'abside — l'arc de triomphe à l'antique — , qui relève désormais de l'art du sculpteur.

À ce groupe plus ou moins homogène se rattachent quelques églises en pierre qui ne possèdent point de transept, et quelques autres dont le plan comporte un long rectangle fermé à l'est par un hémicycle moins large que la nef ; celles-ci constituent une simple variante des premières. Dans les deux cas, il s'agit de tout petits édifices. Les églises sans transept tirent probablement leur origine d'un dessin de l'architecte Jean Maillou[1], dressé à la demande de l'Ordinaire. Les plus anciennes qui existent encore sont celles du Cap-de-la-Madeleine, de Beaumont (1727) et de Châteauguay (vers 1759) (pl. 47 et 51*b*). Elles étaient autrefois assez nombreuses : Cap-Santé (1715),

---

1. Ce dessin est aux archives du Séminaire de Québec, Pol. 2, n° 77. — Au revers, on lit l'inscription suivante : « Ce plan n'est point assez large. Il n'a que 30 pied. Il en faut 36. Le mur doit avoir au moins 2 pieds ½ au dessus du retz de chaussée et réduit à 2 pieds au haut. Quatre rangées de banc de 5 pieds font 20 pieds. Lallée du milieu au moins 4 pi., reste 7 pieds pour les allées des cotés. » Cf. *Le Cap-Santé. Ses églises et son trésor*. Québec, 1944, p. 14 et pl. II.

Saint-Vallier (Bellechasse) (pl. 56*b*), les Écureuils (1741), l'Ange-Gardien[1]... Les églises actuelles de Neuville et de Saint-Charles-sur-rivière-Boyer appartenaient au même type, avant leur agrandissement au XIXe siècle. La plus parfaite assurément était l'ancienne église de Lachenaie : construite vers 1724 et démolie sans raison en 1883, elle était l'une de ces œuvres à la fois naïves et savantes, à l'édification desquelles le malin génie de l'architecture paysanne semblait avoir participé ; et c'est bien le génie paysan qui en avait inspiré les proportions magnifiques du pignon, la martiale élégance du clocher, l'allure spirituelle de la sacristie formant croisillon (pl. 48). Les églises terminées en hémicycle n'ont jamais été nombreuses ; on n'en connaît aujourd'hui que trois de construction ancienne : celles de Saint-François et de Saint-Jean, dans l'île d'Orléans, toutes deux érigées en 1734, et celle de Saint-André (Kamouraska), commencée en 1806 (pl. 64).

L'*église à transept* est simplement l'humble église de la province française, héritage de l'ère romane que se sont transmis pendant des siècles les maçons et les charpentiers de village. C'est une construction essentiellement statique : long vaisseau de maçonnerie couvert en anse de panier, coupé en son deuxième tiers par un transept qui joue le rôle de contreforts, terminé à l'orient par

---

1. Afin d'éviter les redites, je note que plusieurs églises mentionnées au présent chapitre n'existent plus et ont été remplacées ; j'indique la plupart du temps la date de leur construction.

une abside à fond plat ou arrondie en ellipse ; sur ce vaisseau, une toiture à entraits retroussés, d'une forte inclinaison ; à cheval sur le pignon de la façade, un clocher en charpente, à une ou deux lanternes (pl. 50).

Elle apparaît à Québec en 1666, à la réfection de l'église Notre-Dame ; c'était un édifice en forme de croix latine : une nef de trente-trois pieds de largeur et longue de cent, coupée par des croisillons de dix-neuf pieds de diamètre. Six ans plus tard s'élève Notre-Dame de Montréal ; c'est encore une église en croix latine, mais le transept, peu développé, se termine en absidiole.

Les années suivantes, et jusque vers 1735, les paroisses de la campagne sont tellement pauvres, et d'ailleurs si peu peuplées, qu'on n'y construit guère que de minuscules églises sans transept, comme celles que j'ai signalées plus haut. Mais l'âge héroïque a une fin. Et à mesure que la prospérité s'étend sur le pays et que les paroisses grandissent, on rallonge les édifices religieux par la façade et on leur ajoute des chapelles, c'est-à-dire un transept. C'est ainsi que la petite église de la Pointe-aux-Trembles[1], commencée en 1705 et devenue vite insuffisante, prend, à la suite des travaux de 1740, l'aspect d'une église à transept (pl. 51a). Les livres de comptes paroissiaux témoignent de transformations semblables dans des églises qui ont disparu ou qui sont devenues méconnaissables.

---

1. Elle a été détruite par le feu le 21 février 1937.

49

Dans le même temps, l'église à transept s'impose dans un certain nombre de paroisses, non seulement à cause de sa grande surface et de sa commodité, mais encore de la solidité qu'elle doit à ses deux croisillons. L'une des premières — celle des Trois-Rivières[1], commencée en 1710 (pl. 46) — était la plus parfaite du genre ; et les mémorialistes d'autrefois louent la justesse de ses proportions, surtout le galbe si bien étudié de sa flèche. L'une des plus élégantes est sans doute la jolie église de Saint-Pierre, île d'Orléans, dont les fondations remontent à l'année 1716 ; son portique latéral en bois est une merveille de simplicité et de goût (pl. 49, 50 et 72).

En 1743, le problème de l'église à transept s'élargit et reçoit une solution nouvelle. On construit à la Sainte-Famille, île d'Orléans, une église spacieuse dont la nef et le sanctuaire sont traversés par un large transept ; à la façade apparaissent pour la première fois deux tours carrées surmontées de clochers[2] (pl. 52). Onze ans après, le maître-maçon Pierre Renaud élève au Cap-Santé une église plus vaste encore ; le plan est sensiblement le même qu'à la Sainte-Famille, mais l'édifice est plus long et les murailles sont beaucoup plus hautes ; à cause de la largeur de la nef et de l'inclinaison de la toiture, les combles prennent une importance exceptionnelle (pl. 53).

---

1. Elle a péri dans le sinistre du 22 juin 1908 ; il en reste heureusement quelques bonnes photographies.
2. Ces clochers ont été refaits en 1807. Le grand clocher central a été construit en 1843 d'après les dessins de Thomas Baillairgé.

Viennent les misères et les suites de la guerre de Sept Ans, et les chantiers d'églises deviennent rares ou déserts ; au Cap-Santé même, les travaux traînent en longueur pendant près de vingt ans. Dès la prospérité revenue — c'est-à-dire moins d'une dizaine d'années après le traité de Paris —, la construction des églises devient aussi active que celle des habitations Car des terres s'ouvrent à la colonisation ; des paroisses nouvelles se forment peu à peu dans la profondeur des anciennes paroisses ; et des territoires jusque-là desservis par voie de mission sont suffisamment développés pour jouir de leur autonomie. De plus, plusieurs églises construites au début du siècle sont devenues trop exiguës ou bien elles tombent en ruine ; il devient urgent de les reconstruire. Par bonheur, en · ce temps de grande prospérité et de vie intense, un vent de faste et de rénovation souffle sur la Nouvelle-France ; elle a tendance à faire peau neuve et s'y applique avec conscience.

En un quart de siècle s'élèvent plus de trente églises en pierre, dont quelques-unes dépassent en dimensions toutes les précédentes. Un petit nombre d'entre elles ne possèdent pas de transept ; par exemple, les églises de l'Islet et de Châteauguay. Presque toutes les autres sont des églises à transept ; souvent leurs croisillons forment une saillie assez prononcée — comme à Saint-Joachim (1772) et à Varennes (1780) (pl. 56*a*), à Saint-Mathias et à Saint-Pierre de Montmagny (1784), à Vaudreuil (1787) et à Saint-Antoine-de-Tilly (1788), à Sainte-

Marie (1782) et à Saint-Joseph-de-la-Beauce (1790), à Saint-Antoine et à Saint-Denis-sur-Richelieu (1778 et 1793) . . .[1] ; parfois, le transept ne forme sur les murailles latérales que des excroissances à peine remarquables ; c'est ce qu'on observe à l'église de Saint-Jean-Port-Joli (pl. 54), édifiée de 1779 à 1783, et à l'église de Lacadie (pl. 61). Cependant, quelle que soit la saillie de leur transept, ces églises comportent le même programme architectural et une solution identique ; telles étaient les anciennes églises de Lavaltrie (1772) et de Saint-Cuthbert (1779-1781), de Sainte-Anne-de-la-Pocatière (1795) et d'Yamachiche (vers 1790). La plupart de ces églises — et j'aurais pu ajouter les anciennes églises de Saint-Roch-des-Aulnaies (1773) et de Montmagny (1767-1771), de Sainte-Rose (1788), de Saint-Henri (Lévis), et quelques autres — n'ont à la façade qu'un clocher en charpente campé sur le pignon, tout comme à Saint-Mathias (Rouville). Mais l'exemple de la Sainte-Famille (île d'Orléans) et du Cap-Santé n'est pas perdu. L'ancienne église de Varennes a deux tours (pl. 56a) ; les deux anciennes églises de la Beauce, Sainte-Marie et Saint-Joseph, en ont deux également ; et si l'on sait fort peu de chose de l'ancienne église de Sainte-Rose (île Jésus), les archives paroissiales attestent que les tours de

---

1. Les églises que je signale dans ce paragraphe ne nous sont pas toutes parvenues. Quelques-unes ont péri soit par le feu — comme Saint-Joseph-de-la-Beauce en 1865 —, soit sous la pioche du démolisseur — comme Sainte-Marie-de-la-Beauce en 1856 et Varennes en 1883. Il en est ainsi des églises dont il sera question plus loin.

Berthier-en-Haut ont été construites vers 1812 et que vers 1820 l'abbé Jean Raimbault veut consolider son église de Nicolet, élevée en 1784, par deux masses de maçonnerie qui, du reste, s'écroulent en 1874.

Ce qu'il me faut bien remarquer dans cette architecture religieuse, c'est, d'une part, la similitude du plan, tout au moins l'identité des données du problème ; d'autre part, l'extrême variété des solutions et des réalisations pratiques, le caractère des silhouettes particulières, l'individualité de chaque monument. Impossible de les confondre. Les façades du Cap-Santé et de Varennes n'ont de commun que les éléments ; les absides de Saint-Jean-Port-Joli, de Saint-Mathias et de Vaudreuil offrent sans doute des points de ressemblance — surtout les deux dernières —, mais elles accusent des variantes ingénieuses dans leur ordonnance ; la même remarque s'impose d'ailleurs à l'égard des façades latérales.

COMMENT ON BÂTIT UNE ÉGLISE — L'église à transept aurait probablement continué son évolution souple et vivante, marquée d'imprévu et de fantaisie, s'il ne s'était produit aux environs de 1800 un fait peu connu mais non négligeable. Le voici en quelques mots.

J'ai rappelé plus haut les critiques que l'évêque Briand formulait vers l'année 1775 contre les églises *à la récollette.* Il semble qu'à la fin du siècle le problème de la construction des églises suscite l'intérêt de quelques prêtres soucieux de belle architecture. Ce sont eux que l'Ordinaire charge habituellement de présider les enquêtes *de commodo et incommodo,* qui précèdent légalement chaque construction d'église. Les noms qui reviennent le plus souvent dans la correspondance des évêques sont ceux de Jacrau, prêtre du Séminaire, Montgolfier, sulpicien de Montréal, Cherrier, curé de Saint-Denis-sur-Richelieu, Féré-Duburon, curé de Varennes, Panet, curé de la Rivière-Ouelle, Boucher, curé de Laprairie, enfin Conefroy, curé de Boucherville. Que ces ecclésiastiques se rencontrent parfois et causent entre eux des difficultés qui se présentent dans telle ou telle construction, c'est certain, puisqu'on en trouve les échos dans les lettres épiscopales.

Au reste, pendant des années la construction de nos églises — sauf quelques rares exceptions — n'est point le fait de l'architecte, au sens que nous donnons aujourd'hui à ce terme. S'agit-il d'ériger une église à tel endroit, l'évêque délègue ses pouvoirs à l'un de ses prêtres, la plupart du temps à l'un de ceux que je viens de nommer. Rendu sur les lieux, le délégué procède incontinent à l'enquête obligatoire *de commodo et incommodo,* s'informe de la densité de la population, de ses possibilités d'accroissement, de ses ressources financières et de son crédit, de ses bonnes dispositions ; il s'informe encore de la qualité du terrain et des matériaux

54

du pays, de la facilité des transports, de la compé-
tence de la main-d'œuvre, des particularités clima-
tériques de la région. Souvent, il s'abouche avec
un maître-maçon, un charpentier et un menuisier,
et discute avec eux des problèmes les plus urgents ;
et ces quatre personnages, conjuguant leurs calculs
personnels et leur expérience dans l'art de bâtir,
sont véritablement l'*architecte* du nouvel édifice :
le délégué de l'évêque fixe le site de l'église, son
orientation et ses dimensions ; le maître-maçon
établit la hauteur des murailles latérales et répartit
les vides et les pleins ; le charpentier contribue à
la silhouette de l'ensemble par l'inclinaison de la
toiture, le galbe du clocher et le dessin de l'abside ;
et le menuisier, maître des ouvrages en bois, en
conçoit l'ordonnance et en choisit la mouluration.

Dans cette manière de procéder, les réussites
antérieures exercent une pression inévitable sur les
décisions des quatre maîtres d'œuvre ; mais ils ne
copient point des églises particulièrement réussies ;
ils s'en inspirent libéralement et cherchent à affiner
davantage leurs éléments les plus parfaits.

À l'égard du plan même des églises, point de
difficulté, puisque l'église à transept vient de donner des preuves éclatantes de son excellence dans
les vingt-cinq églises toutes neuves qu'admirent
les étrangers aussi bien que les gens du pays ; il
n'y a donc qu'à l'adopter définitivement, peut-
être avec quelques retouches. La difficulté qu'é-
prouvent les délégués de l'évêque est ailleurs. Elle
gît dans la qualité, la préparation et la mise en

55

œuvre des matériaux, dans la manière de toiser les vides et les pleins, dans les mille et une prescriptions relatives aux divers corps de métier, enfin dans les relations d'affaires entre les syndics et les entrepreneurs. D'où la nécessité d'un devis qui ne laisse rien au hasard.

Ce devis existe encore dans les archives du Palais épiscopal de Québec. Il est l'œuvre de Pierre Conefroy, qui en a entrepris la rédaction entre les années 1790 et 1800 pour la construction de son église de Boucherville. Le texte en est si complet et si limpide que les entrepreneurs ne peuvent arguer du moindre oubli, de la moindre défaillance pour spéculer sur les « extra ». Il n'est donc pas étonnant qu'on l'ait utilisé, *mutatis mutandis*, dans l'érection d'une centaine d'églises. Le plan Conefroy n'est point une création de l'ancien curé de Boucherville. C'est la codification intelligente et méthodique d'un genre d'architecture parfaitement adapté à notre climat, à nos moyens constructifs et aux habitudes de métier de nos maîtres d'œuvre ; c'est l'exploitation rationnelle et sensible d'un art de bâtir qui a déjà produit des œuvres fortes.

C'est à Saint-Marc (Verchères) que Conefroy applique pour la première fois son devis en l'année 1799 (pl. 59). Deux ans plus tard, il construit sa propre église, Boucherville (pl. 57a). Commencée en 1801, la maçonnerie en est presque achevée quelques mois après. L'année suivante, le charpentier élève le grand comble et monte à pied

56

d'œuvre le clocher à deux lanternes ; ensuite, le couvreur en bardeau se met à la besogne. Dès 1803, le sculpteur Louis Quévillon, aidé de ses compagnons Joseph Pépin et René Saint-James, travaille à la sculpture des retables, de la voûte, des autels latéraux et des autres meubles de l'église ; à sa mort en 1823, la sculpture est terminée. Et au milieu des meubles peints en blanc et ornés de filets de dorure qu'a sculptés le maître de Saint-Vincent-de-Paul, brille le somptueux tabernacle entièrement doré à la feuille qu'a fignolé vers 1745 le sculpteur Gilles Bolvin. Puis les marguilliers commandent trois tableaux de sainteté au peintre Jean-Baptiste Roy-Audy, et un orgue aux importateurs Zingraff et Bourdon. Aux environs de 1825, l'église de Boucherville est terminée. Avec ses deux voisines, Longueuil et Varennes — qu'on ne connaît plus d'ailleurs que par des photographies —, ce sont les plus riches de la région de Montréal. En 1843, Boucherville échappe de justesse à la destruction : un incendie, provoqué par un petit vapeur qui crache ses étincelles du bout du quai, consume le clocher de la façade et abîme la tribune de l'orgue et les boiseries. C'est le sculpteur Louis-Thomas Berlinguet qui répare les dégâts, reconstruit la tribune, applique les feuilles d'or sur la sculpture et exécute un chandelier pascal de sept pieds de hauteur. En même temps, il reconstruit le clocher, mais sur un plan nouveau. — Avec ses murailles galbées, son portique à fleur de surface, son pignon aigu percé

57

d'une simple rose, son clocher ajouré d'une vaste lanterne, elle représente assez bien l'art de Conefroy et son évolution au cours du XIXe siècle.

L'histoire de l'église de Boucherville est à peu près celle des autres églises du même plan qui ont échappé à la destruction. Dans la région de Montréal, les mieux conservées sont celles de Lacadie et de Saint-Roch-de-l'Achigan (pl. 61 et 63), érigées respectivement en 1801 et 1803 ; d'autres, comme Verchères et Saint-Pierre de Sorel, ont été plus ou moins abîmées par des restaurations malencontreuses ; quelques-unes parmi les plus belles n'existent plus : Louiseville, construite en 1804, a été impitoyablement démolie en 1917 (pl. 62) ; Longueuil, érigée en 1811 par Conefroy, a également été démolie ; Chambly et Saint-Luc ont péri dans des sinistres... Dans la région de Québec, une seule reste intacte, celle de Lauzon bâtie en 1830 d'après les plans de Thomas Baillairgé (pl. 65) ; celle de Saint-Augustin, commencée en 1809, a été profondément remaniée ; la plus somptueuse était, selon les anciennes chroniques, l'église de Saint-Michel (Bellechasse), qui a été refaite en 1858 et fort endommagée dans l'incendie de 1872 ; la plus bizarre était assurément celle de la Baie-Saint-Paul, avec sa façade en largeur et ses deux tours étroites...

Combien d'autres n'existent plus que sur de rares photographies : Saint-Roch, à Québec (1817), l'Ancienne-Lorette (1837), la Baie-du-Febvre

(1806), la Pointe-du-Lac... Combien d'autres ont été tellement abîmées par des restaurateurs maladroits qu'elles en sont devenues méconnaissables ; c'est le cas de trois églises construites d'après le plan Conefroy : Blainville (1806), Saint-Laurent, près Montréal (1835) et les Grondines (1837) ; elles ont été transformées en édifices de style pseudo-gothique.

Je reviens un instant à la région de Québec. Le plan Conefroy y est appliqué, à partir des environs de 1810, par le professeur de physique et d'architecture au Séminaire, l'abbé Jérôme Demers, et par ses deux hommes de confiance, François Baillairgé et son fils Thomas. Tous trois sont férus d'architecture classique, spécialement du style Louis XVI ; et ils apportent au plan Conefroy des variantes plus ou moins notables. Leur œuvre la plus achevée est le décor du sanctuaire de Saint-Joachim (1816-1825). Leurs variantes sont à peine sensibles dans les églises de Lotbinière (1818), de Saint-Nicolas (1823) et des Becquets (1838) ; elles sont plus visibles dans les églises de Charlesbourg (1828) et de Deschambault (1837) ; elles s'affirment nettement dans les églises de la Baie-du-Febvre (1839) et de Pierrefonds (1844).

Habituellement, Thomas Baillairgé et les autres constructeurs québecois (François Audet, Guillot, François Fournier...) conservent toutes les prescriptions de Conefroy — et ils édifient des églises dans la pure tradition du XVIIIe siècle comme

celles de Saint-Anselme, de Saint-Jean-Chrysostome (Lévis) et de Saint-Isidore (Dorchester).
Parfois, ils subissent l'influence d'un édifice qui a
été élevé en 1804 d'après un modèle londonnien,
la cathédrale anglicane de Québec — et ils
s'écartent de la tradition dans les églises de Saint-
Patrice de Québec (1831), de Deschambault (pl.
66) et de Saint-Roch (1850). Enfin ils ont recours,
en quelques occasions, à des formules d'autrefois
quasi oubliées : dans les églises de Saint-André
(Kamouraska), de Cacouna et de Sainte-Louise
(l'Islet), le plan rappelle celui des petites églises de
Saint-François et de Saint-Jean, dans l'île
d'Orléans (pl. 64, 70 et 71).

DÉCOR ET Pour compléter ce rapide coup
SILHOUETTES d'œil sur notre architecture
religieuse d'autrefois, il suffit de
brèves considérations sur son décor et de quelques commentaires sur le galbe de certains de ses
éléments.

On a vu qu'à l'extérieur cette architecture doit
toute sa beauté à la simplicité de ses lignes, à la
justesse de ses proportions et à la répartition logique de ses vides et de ses pleins. Elle comporte
donc fort peu d'ornements — en quoi nos maîtres
d'œuvre ont eu raison, car le gel eût ruiné presque
tout élément appliqué, donc superflu. En somme,
les seuls ornements des façades sont les portails et
les niches.

Les portails sont habituellement d'ordre toscan ou dorique ; leur saillie ne dépasse pas une vingtaine de centimètres. Aux façades principales, ils sont en pierre de taille bouchardée ou traitée à la laye ; les portails latéraux sont en bois peint et sablé. Il y en a de fort jolis — comme celui de Saint-Pierre, île d'Orléans (pl. 72). Au début du XIXe siècle s'esquisse, sous une influence qu'on ignore, une mode nouvelle et d'ailleurs passagère, celle des portiques. Il y en a déjà un à l'église du Cap-Santé (pl. 53) ; en 1821, Amable Gauthier en construit un à la façade de Berthier-en-Haut, que Dominique Ducharme reconstruit en 1855 ; finalement, on le démolit. Il s'en trouvait également à Saint-Cuthbert et à l'église Saint-Jacques, à Montréal. Celui de Saint-Jean-Baptiste (Rouville), chronologiquement l'un des derniers, existe encore.

Les niches ont fini par subir le même sort que les portiques : pour la plupart, elles ont été murées. Les livres de comptes des fabriques nous apprennent que les églises d'autrefois, tout au moins dans la région de Québec, possédaient à la façade une ou trois niches, peuplées de statues de bois doré (ces statues étaient le plus souvent l'œuvre des Levasseur, François-Noël et Jean-Baptiste-Antoine, et leur cousin Pierre-Noël). On ne connaît plus guère aujourd'hui que les cinq niches de l'église de la Sainte-Famille (pl. 52), les trois niches de l'église du Cap-Santé (pl. 53) et les niches minuscules des chapelles de procession.

Leur suppression s'explique aisément : les eaux de pluie s'accumulent sur le seuil des niches et, sous l'action du froid, font éclater la maçonnerie ; peu à peu leurs dégâts se propagent dans toute la muraille. Même les statues de bois ne peuvent résister au gel ; on en trouve de nombreuses preuves dans les archives paroissiales[1].

La grande parure de nos églises d'autrefois, ce sont leurs admirables clochers. Ces ouvrages de charpenterie, de dessin très compliqué parfois et d'exécution difficile et délicate, ne sont pas généralement l'œuvre d'architectes[2] — au sens moderne de ce mot. Leurs auteurs sont habituellement de simples charpentiers de village ou des entrepreneurs spécialisés dans ce genre de construction — comme Joseph Latour qui, en 1781, élève les premiers clochers de la troisième église de Varennes et, en 1812, les clochers actuels de Berthier-en-Haut (pl. 79), ou comme Joseph Laporte qui, en 1798, reconstruit les clochers de Varennes (pl. 56a), ou encore comme Joseph Morin, simple entrepreneur de Saint-André (Kamouraska), qui, en

---

1. Témoin cette ordonnance que monseigneur Signay rend le 1er juillet 1844, au cours de sa visite à Saint-François, île d'Orléans : « L'état de vétusté et de dommage qu'ont éprouvés (sic) les statues du portail les ayant rendues indécentes, nous recommandons de les faire réparer par quelque sculpteur connu . . . » Ces statues ont été détruites en 1855.

2. Parmi les architectes qui ont tracé des plans de clochers, je cite sommairement Jean Baillairgé (ancier clocher de Notre-Dame de Québec, 1769), Thomas Baillairgé (grand clocher de la Sainte-Famille, 1843 ; clochers des Becquets, 1838, et de Sainte-Luce) et Louis-Thomas Berlinguet (clocher de Boucherville, 1843).

1865, élève le clocher de sa paroisse, d'un galbe à la fois savant et pur[1] (pl. 81).

Quel est le point de départ de la tradition dans cet élément architectural purement décoratif ? C'est sans doute le clocher de bois de la petite église de Normandie ou du Domaine Royal — et je songe en ce moment à l'adorable clocher de l'église d'Ermenonville et à d'autres, aussi beaux, des environs de Mantes. Mais il est difficile d'en arriver à une certitude, puisque nos clochers actuels ne remontent guère au delà du Régime français et que nous n'en connaissons qu'un seul qui soit antérieur à l'année 1725, celui du Cap-de-la-Madeleine[2]. Il est fait d'une lanterne et d'une flèche hexagonales, reliées à une souche carrée par une demi-coupole ; au sommet de la flèche, une croix en fer forgé et un coq en tôle dorée, l'une et l'autre façonnés par des artisans du village ; le passage du carré à l'hexagone est exécuté de main de maître et fort agréable au regard (pl. 47). L'ensemble est d'une souriante élégance.

Le plan hexagonal se retrouve à deux pas du Cap-de-la-Madeleine : le grand clocher qu'on élève en 1773 au sommet de la nouvelle façade de l'église

---

1. Ce clocher a coûté la somme de cent quinze louis (quatre cent soixante dollars). À la fin des travaux, les fabriciens accordèrent unanimement à Morin une gratification de vingt-cinq louis « en considération du soin qu'il a pris pour exécuter la construction du clocher sans rien épargner pour en faire un ouvrage bon et durable ». On aurait pu ajouter que cet « ouvrage bon et durable » est en même temps un chef-d'œuvre d'architecture décorative.

2. Encore faut-il ajouter qu'il a été reconstruit en 1795 d'après le même dessin.

des Trois-Rivières (pl. 46) est une imitation du précédent ; mais une imitation large et, au surplus, quasi gigantesque si on la compare à l'original ; son élégance n'est plus souriante mais majestueuse.

Nos autres clochers sont bâtis sur un plan octogonal. Les uns ne possèdent qu'une lanterne — comme Lachenaie, 1782 (pl. 48), Saint-Nicolas (1825), Varennes. Les autres sont pourvus de deux lanternes et montent plus haut. Mais ici, il faut distinguer deux variantes légères : les clochers de la région de Montréal — comme Lacadie (pl. 77), Saint-Roch-de-l'Achigan (pl. 63), Saint-Marc (pl. 59), Louiseville (pl. 62), Berthier-en-Haut (pl. 79) —, et les clochers de la région de Québec — comme Cap-Santé (pl. 78), Saint-Jean-Port-Joli (pl. 54), Lauzon (pl. 65) . . . Les premiers sont fuselés comme de sveltes pyramides ; les seconds montent vers le ciel par d'amples courbes superposées. Le dessin est à peu près le même ; c'est l'élan qui diffère[1].

Vu de la façade, chacun de ces clochers semble être une véritable affirmation dans l'absolu décoratif ; les formes, le galbe, le jet des lignes donnent l'impression d'une œuvre d'art spirituelle, parfaite et gratuite. Vu de l'abside, dans le jeu des lignes des croisillons et des courbes molles du rond-point, sa beauté s'accroît de pittoresque et d'imprévu, d'originalité aimable et d'infinie sérénité.

---

1. Encore une fois, quelques-uns des clochers que je signale ici n'existent plus.

Toutes ces qualités revivent, et avec combien d'esprit et de grâce juvénile, dans de tout petits édifices dont l'utilité se borne à une cérémonie annuelle, les chapelles de procession. Il y en a de rustiques et de sévères, de faussement pompeuses et de légèrement absurdes. Mais quelques-unes sont des merveilles de grâce et de distinction — comme la chapelle de Neuville (pl. 73) ; d'autres sont toute gentillesse, comme la chapelle de Beaumont (pl. 74).

À l'intérieur, le décor de nos églises est artificiel. C'est une architecture de bois qui se superpose à l'autre. La fausse-voûte, qu'elle soit en planche embouvetée ou à caissons, est suspendue à la charpente ; les retables — soit l'ornementation des murs du sanctuaire et des croisillons — sont retenus à la muraille par des crochets ; même chose pour les corniches, gloires, frontons et ouvrages décoratifs de ce genre ; la chaire et le banc d'œuvre sont des « immeubles par destination », fixés à clous et à marteau ; les tribunes, souvent construites bien après le gros œuvre, relèvent du même art ; à plus forte raison les autres meubles. Cette architecture de bois est pendant longtemps l'apanage des sculpteurs ; ils dessinent eux-mêmes les ouvrages décoratifs dont ils ont assumé l'exécution. Il s'agit donc d'un pur travail de sculpteur sur bois et il convient d'ajouter, de sculpteur ornemaniste. La peinture édifiante n'y occupe une certaine place que si l'église possède déjà des tableaux ou si les fabriciens interviennent dans le choix et la distribution des éléments décoratifs. Même le bas-relief figuratif, à l'exception de ceux de Noël Levasseur, ne commence à y jouer un rôle, d'ailleurs épisodique, qu'à la fin du XVIIIe siècle et au début du XIXe, avec Liébert, Quévillon et les Baillairgé ; passé les années 1835-1840, sa vogue est presque épuisée ; et la sculpture essentiellement ornementale devient la règle dans le décor de nos églises.

On a voulu voir dans cette sculpture sur bois le prolongement de l'art de la Renaissance française, soit l'art sous les Valois. L'hypothèse serait vraisemblable à l'égard de quelques ouvrages déterminés, comme les tribunes de Saint-Mathias (pl. 84), les panneaux sculptés de l'église de Saint-Joachim (pl. 87) et certains détails de rinceaux ; et cette parenté des formes avec l'art d'un Jean Goujon et d'un Germain Pilon serait le résultat d'une imitation, habile et libre, de monuments de l'époque Henri II. Mais comme il n'est pas sûr que nos artisans aient connu la sculpture du XVIe siècle français, mieux vaut croire que nos sculpteurs ont interprété à leur manière des ouvrages du style Louis XIV et du style Louis XVI, les seuls d'ailleurs qu'ils pussent connaître.

Quoi qu'il en soit de ces cas particuliers, je remarque que le décor de nos églises suit en général l'évolution des styles français — sauf le Louis XV — , avec un retard qui varie de dix à vingt-cinq ans. Nos ensembles sculptés les plus anciens — nous les connaissons surtout par l'image — sont conçus en un style Louis XIV de province. À Sainte-Anne-de-Beaupré, Jacques Leblond dit Latour sculpte à la fin du XVIIᵉ siècle un retable *à la récollette* de lignes sobres et distinguées, tandis qu'à l'Ange-Gardien le même artiste élève un retable somptueux et un tabernacle ouvragé qui rappellent, de loin évidemment, la richesse décorative de Versailles (pl. 85). C'est encore un retable de style Louis XIV que celui de la chapelle des Ursulines de Québec, qu'a exécuté Noël Levasseur de 1732 à 1737 d'après un plan qu'a tracé François de Lajoue vers 1715[1]. Et c'est le même style qu'exploitent Joseph Nadeau, Jean Valin et Charles Vézina dans les tabernacles qu'ils érigent à grand renfort de rinceaux, de coupoles et de trophées de fleurs ; mais déjà les grâces du style Régence assouplissent l'ordonnance de leur légère architecture et y créent des sourires. L'art des Levasseur — les fils et cousins de Noël — et celui de Jean et de Pierre-Florent Baillairgé (pl. 82) accusent une influence plus nette de l'une des deux tendances du style Régence, le prolongement de l'esprit du Grand Siècle — l'autre tendance, le Louis XV, n'apparaissant guère que dans de rares motifs de peu d'importance. Avec François Baillairgé, c'est le style Louis XVI qui entre dans notre art (pl. 87) et qui s'épanouira plus tard en un classicisme aimable et distingué dans les décors de Thomas Baillairgé et de ses disciples, André Paquet, Louis-Xavier Leprohon, Raphaël Giroux, Laurent

---

1. Cf. *Coup d'œil sur les arts en Nouvelle-France*, pl. 9.

Moisan... Chez Gilles Bolvin et François Normand, sculpteurs trifluviens, des souvenirs espagnols se mêlent, on ignore pour quelle raison, à la tradition du Grand Siècle ; et leurs ouvrages, fignolés comme des châsses, évoquent la sculpture tourmentée de certains meubles sévillans. Si l'École de Montréal tarde à se former, elle reprend vite le temps perdu avec Louis Foureur, Philippe Liébert, Louis Quévillon et l'atelier des Accores ; après avoir orné de ses sculptures menues, abondantes et éminemment décoratives les églises de la région de Montréal, elle pénètre dans la région trifluvienne, s'étend dans les alentours de Québec et pousse son influence de Beaumont à la Rivière-Ouelle. Le style de ses ensembles ne diffère pas sensiblement de celui de la sculpture québecoise ; c'est l'esprit décoratif qui lui est propre : il est fait de fine fantaisie et de je ne sais quoi de gracieusement frivole qui aurait survécu à la misère des temps ; il est fait aussi d'une forte propension à la surcharge, à l'accumulation des « petits bouts de bois sculpté » dans les voûtes et les retables — ce que l'abbé Jérôme Demers condamne avec véhémence dans son *Cours d'architecture*. Ici, le théoricien se fourvoie : des retables comme ceux de Saint-Marc, de Lacadie, de Verchères (pl. 86), des voûtes comme celles du Sault-au-Récollet (pl. 83*b*), de la Sainte-Famille (île d'Orléans), de Saint-Augustin (pl. 83*a*), plaisent infiniment par l'inattendu de leur somptuosité et leur valeur décorative, et s'imposent à l'esprit comme le symbole de la prodigalité paysanne, quand elle consent à s'étaler ; et le baldaquin de Berthier-en-Haut (pl. 88), s'il déroute les puristes par son exubérante richesse, répond à un certain goût de la magnificence, tout aussi légitime que la nudité.

Ce sont là les grandes lignes de la décoration de nos églises jusqu'aux alentours de 1860. Qu'on ne croie pas, cependant, que nos sculpteurs du terroir suivent docilement l'une des tendances que j'ai signalées et s'y conforment comme de bons élèves. Au contraire, ils cherchent sans cesse des ordonnances nouvelles, des variantes inédites des formes en vogue. Et plus ils sont près du peuple et attachés aux bonnes habitudes de leur apprentissage, plus ils trouvent au fond de leur atavisme des ruses d'artisan obstiné, des combinaisons originales de motifs connus, de savoureuses trouvailles de style et d'exécution. C'est ainsi qu'en pleine architecture archéologique (1860-1865), Urbain Delisle, humble sculpteur de village, conçoit la voûte de l'église de Saint-Frédéric (Beauce), non en une série de travées ponctuées d'arcs doubleaux, mais en une suite de larges frises sculptées bordant un immense panneau central ; cette ordonnance ne manque pas de hardiesse ni d'originalité.

ARCHITECTURE CONVENTUELLE Qu'il s'agisse de couvents, d'hôpitaux ou de maisons d'enseignement, il n'y a pas lieu de faire des distinctions dans le plan, l'aspect

général et le style de notre architecture conventuelle.

Au XVIIe siècle, les couvents et collèges sont
des constructions plus grandes que les habitations
voisines ; ils ont deux ou trois étages, des combles
à lucarnes et de massives cheminées ; parfois la
chapelle est adossée au bâtiment, comme le croisillon d'une église ; souvent elle occupe une pièce
du rez-de-chaussée, et les combles portent alors un
petit clocher en charpente. S'il devient nécessaire
d'agrandir l'édifice, on ne lui ajoute pas d'étages,
comme on le fera plus tard par économie d'espace ;
ou bien on le flanque d'ailes de mêmes proportions ;
ou bien on le prolonge par des pavillons en appenti ;
ou encore, on construit des pavillons additionnels
suivant la configuration du terrain, d'où un certain
nombre de cours intérieures.

La première solution, on en trouve l'application
élégante dans des édifices qui ont disparu, mais
dont il reste des témoignages ; par exemple, l'ancien Hôpital Charron, à Montréal, l'ancien Hôtel-
Dieu de Québec — celui d'avant l'incendie de
1755 —, l'Hôpital-général de Québec . . . La
seconde crée des effets pyramidaux pleins d'intérêt,
surtout quand les pavillons sont différents ; la
ferme Saint-Gabriel, dans l'Île-des-Sœurs, sorte de
couvent rural, doit une grande part de son charme
à ses appentis dyssymétriques qui paraissent con-
trebuter le corps de logis central (pl. 37) ; l'ancienne Maison des Messieurs, à Montréal (pl. 38b)
avait à peu près la même silhouette. La troisième

solution est la plus fréquente ; on la retrouve au Séminaire et au couvent des Ursulines de Québec ; et sans doute y en avait-il des exemples à Montréal, mais chacun sait que l'architecture conventuelle de cette ville a été durement éprouvée.

Pendant le XVIIᵉ siècle, notre architecture conventuelle reste timide. On construit des édifices qui répondent à des besoins immédiats, sans oser prévoir l'ampleur des possibilités futures. À la fin du siècle et au début du XVIIIᵉ, il se trouve des hommes qui ont foi en l'avenir du pays et ne craignent pas d'engager leur crédit dans des entreprises d'envergure. Tel Dollier de Casson qui, en 1683, trace le plan de son séminaire et, avec des ressources modestes, en assure l'exécution ; c'est un édifice en forme d'U, dont les ailes donnent sur la façade principale ; les pièces d'apparat et les chambres ont vue sur le jardin ; les communs sont renvoyés au dehors en deux tourelles de pierre isolées de trois côtés. La façade de la rue Notre-Dame a changé d'aspect depuis la construction des corps de logis adjacents ; la façade postérieure, qui a perdu ses tourelles, a encore grand air avec ses quatre étages de fenêtres, sa haute toiture et ses proportions majestueuses (pl. 35*b* et 36*a*).

Cet essai d'art monumental est le point de départ d'une série d'édifices conventuels aux lignes simples et plaisantes : le couvent des Récollets et la résidence des Jésuites de Montréal, construits en 1693 et en 1705, dont les portiques (1712 et

71

1719) étaient l'œuvre de Pierre Janson (pl. 36*b*) ; le couvent des Récollets de Québec (1693), fameux autrefois par le galbe de son clocher ; le couvent des Ursulines des Trois-Rivières (1697) ; l'Hôtel-Dieu de Montréal (1734), le collège des Jésuites de Québec, construit vers 1740 ... Ce dernier (pl. 38*a*), dont Charlevoix fait avec raison de grands éloges, a été pendant longtemps le plus bel édifice de Québec ; et sa démolition en 1878 est l'une de ces sottises inexplicables qui font douter du sens commun d'une génération.

L'hôpital de madame d'Youville, que l'abbé Étienne Montgolfier élève à Montréal après l'incendie de 1765, est un grand édifice quasi symétrique, dominé par le pignon et le clocher de la chapelle. Avec le troisième collège de Montréal, commencé en 1806 d'après les plans de l'abbé Molin, le style monumental devient une habitude chez nos bâtisseurs de collèges (pl. 39*a*) ; il n'en reste actuellement que des vestiges.

Dans l'édification du séminaire de Nicolet en 1827, son auteur, l'abbé Jérôme Demers, manie les mêmes éléments et à une échelle qui est sensiblement la même (pl. 41*a* et *b*) ; mais il le fait avec tant de sens de la grandeur, tant d'aisance dans la distribution des vides et des pleins, tant de finesse dans les proportions des avant-corps et l'inclinaison des combles, qu'il atteint à un style monumental vraiment grandiose ; et cela, avec des moyens techniques très simples et la plus stricte économie. Nicolet est le chef-d'œuvre de notre architecture conventuelle ; plus tard, on fera plus riche, surtout plus orné ; on ne fera jamais mieux ; jamais on ne parviendra à tant de noblesse et de grandeur.

Pendant quelques années encore, la tradition canadienne se maintient dans la construction de nos édifices conventuels. Une simple école, construite vers 1845 à Québec, rue Champlain, marque le souci de la grandeur qu'éprouvent nos maîtres-maçons du milieu du siècle dernier ; l'ancien couvent de Rimouski était un exemple de proportions parfaites et de fine mouluration ; j'en dirais presque autant du collège de Chambly érigé vers 1860, et de quelques maisons d'enseignement de nos petites villes, tel l'ancien collège de Longueuil (pl. 40a). Quant au Palais épiscopal de Québec (pl. 40b), il est l'œuvre d'un homme de goût qui se préoccupe de style et qui, à la date de 1844, cultive le style Louis XVI comme au temps de sa jeunesse, Thomas Baillairgé.

D

ARCHITECTURE CIVILE
ET MILITAIRE

La Nouvelle-France n'a conservé qu'un petit nombre de ses édifices civils et militaires d'autrefois. D'une part, les incendies en ont fait disparaître les quatre cinquièmes. D'autre part, les constructions militaires, même les plus solides et les mieux faites, sont par destination des ouvrages périssables ; à plus forte raison s'il s'agit de fortifications hâtives, forcément provisoires. Cependant, nous avons la bonne fortune de posséder quelques documents graphiques relatifs à des monuments dont il ne faut pas mésestimer l'importance architecturale.

SOUS LE RÉGIME FRANÇAIS Le premier édifice civil et militaire du pays est assurément l'« abitation de Québec », que Champlain fait ériger en 1620 sur le bord du fleuve ; c'est en effet une habitation fortifiée, qui est en même temps le siège de l'administration de la colonie.

Aussi longtemps que l'établissement colonial est affermé par des compagnies royales, l'administration en est peu compliquée et ne requiert les services que d'un petit nombre de fonctionnaires ; elle n'est même pas dans ses meubles. Sa tâche essentielle consiste à protéger les habitants contre les incursions des Iroquois et à organiser un réseau de postes de traite des fourrures qui assurent l'enrichissement de ses commanditaires. Ainsi s'explique l'érection de nombreux fortins de pieux, dispersés à l'ouest du pays en des endroits choisis pour la facilité des communications. Tous ces fortins, mi-militaires mi-civils, ont péri sans laisser de trace. On en connaît quelques-uns par la gravure.

L'administration s'organise réellement le jour où le roi met fin au régime des compagnies. L'appareil judiciaire créé, il convient de loger le Conseil souverain, la Prévôté et leurs archives ; la division du pays en trois gouvernements suppose la construction de résidences à Québec, aux Trois-Rivières et à Montréal ; l'intendance, source d'initiative et de progrès, a besoin d'un palais proportionné à l'ambition de ses titulaires ; enfin, en ce temps d'économie dirigée, il faut au gouvernement des quais, des magasins et des entrepôts. En dépit des plaintes réitérées de Frontenac, qui voit avec envie l'évêque de Québec ériger son spacieux séminaire, le roi ne se hâte pas de pourvoir à ces constructions. Seul le bâtiment de l'Intendance s'élève en 1687 au quartier du Palais ; si on lui donne le nom de palais parce qu'il abrite l'Intendance et le Conseil souverain, il n'y a vraiment pas de quoi : c'est la brasserie de Jean Talon simplement restaurée . . .

Le massacre de Lachine et, l'année suivante, le siège de Québec ouvrent enfin les yeux aux autorités. Il est devenu urgent de fortifier Québec, Montréal et les Trois-Rivières, et de construire les édifices indispensables à l'administration du pays. Dès 1694, Boisberthelot de Beaucours donne le plan des portes de Québec et Frontenac fait reconstruire de fond en comble le château Saint-Louis, dont la façade sur le Saint-Laurent doit son imposante ordonnance à son socle de contreforts ; quelques années plus tard, Levasseur de Néré dirige les travaux de la citadelle à la Vauban et des murailles de la ville. À Montréal, l'abbé Vachon de Belmont fait construire en 1694, d'après ses plans et de ses propres deniers, le « fort des Messieurs », dont il reste les belles et solides poivrières de la rue Sherbrooke (pl. 38*b*) ; en 1705, Jean-Baptiste Boucher dit Belleville commence la construction du mur d'enceinte et des portes.

Sous l'influence lointaine de Vauban, le goût de la construction militaire s'étend aux postes éloignés. Déjà le fort de Chambly (1711) se dresse face à la Richelieu ; à l'ouest, Chaussegros de Léry élève trois ou quatre forts aux confluents de rivières ; le plus considérable peut-être est celui

77

que Dominique Janson construit en 1734 à la Pointe-à-la-Chevelure ; le dernier qu'on érige, d'ailleurs à la hâte, est celui de Jacques-Cartier, à deux milles du Cap-Santé ; on en pouvait voir une casemate il y a quelques années.

L'architecture civile suit de loin. Et l'on s'étonne que le gouvernement de Versailles laisse besogner ses fonctionnaires dans des édifices qui exigent des réparations continuelles. Je ne parle pas ici du château Vaudreuil (pl. 35a), qui est un hôtel particulier, mais des immeubles administratifs. Le seul dont il soit question assez souvent dans les archives est le palais de l'Intendance. L'ancienne brasserie de Jean Talon flambe dans un incendie en 1713. Six ans plus tard s'élève sur ses ruines un vaste bâtiment en pierre, à deux étages, traversé par deux ailes profondes, terminé aux deux bouts par des corps de logis et dominé par une tour-lanterne et une flèche. À l'extérieur, l'architecture du monument ne manque pas de grandeur ; à l'intérieur, les travaux traînent en longueur et l'intendant Dupuy ajoute à la confusion par des remanîments saugrenus. Le palais flambe de nouveau en 1743 ; on le reconstruit sur les mêmes murs. Longtemps après le siège de 1759, ses ruines imposantes encombrent le quartier Saint-Nicolas.

LE STYLE CLASSIQUE ANGLAIS La paix revenue en 1763, les nouveaux occupants du territoire ont beaucoup à faire dans la reconstruction du pays. Les services administratifs se logent comme ils peuvent dans des habitations. Les garnisons s'abritent dans des baraques provisoirement aménagées. Quand on songe à la reconstruction, la guerre de l'indépendance américaine fait ajourner les projets. Mais le coup de main de Montgommery, le 31 décembre 1775, fait réfléchir de nouveau les autorités : le pays est trop vulnérable pour qu'on laisse les fortifications démantelées. D'où un vaste programme de construction militaire.

Je ne veux pas m'attarder à décrire les anciennes portes et la citadelle de Québec, ni insister sur les autres ouvrages militaires que les officiers du génie érigent dans la Province jusqu'en 1865. Je veux seulement marquer les caractères de leur architecture. Ce sont, comme il convient, des ouvrages de construction massive, dont les formes sont empruntées au Grand Siècle ; leur décor, d'ailleurs très sobre, est légèrement teinté de ce que les Anglais appellent le style « georgian ». Telles apparaissent, sur de vieilles photographies, les anciennes portes de Québec, presque toutes reconstruites entre 1786 et 1830 d'après les plans primitifs de Beaucours ou de Chaussegros de Léry fils, auxquels on a ajouté de vagues motifs georgiens. Quant aux portails de la citadelle, ce sont des arcs de triomphe d'un style extrêmement vigoureux (pl. 44*b* et 45*a* et *b*).

Ce style Louis XIV mâtiné de georgien, on le retrouve dans quelques monuments civils du premier tiers du XIXe siècle. Dans le Palais de Justice de Montréal (pl. 39*b*) et dans la Prison du Champ-de-Mars, construits dans les premières années du siècle, l'influence anglaise est prépondérante et nullement désagréable. Dans la Prison de Québec, aujourd'hui le collège Morrin, François Baillairgé semble se souvenir des casernes de Versailles et conçoit volontairement un édifice sévère. Dans la Prison du Pied-du-Courant, à Montréal, et dans l'Hôpital de la Marine, à Québec (1831), l'architecte Blaicklock se conforme à la même tradition, mais avec un souci évident d'élégance française. Au reste, il faut en dire autant du premier Parlement de Québec que Thomas Baillairgé et Louis-Thomas Berlinguet aménagent avec beaucoup d'ingéniosité à même les ruines du palais épiscopal de monseigneur de Saint-Vallier ; du premier Palais de Justice de Québec, que François Baillairgé construit en 1804 sur l'emplacement du couvent des Récollets ; de l'édifice de la Douane de Montréal, que John Ostell élève en 1836 (pl. 99*b*) ; de quelques autres édifices — hôtels de ville, postes de pompiers, bureaux de poste, banques, palais de justice — qui ne manquaient pas de certaines qualités classiques et qui ont été remplacés par des immeubles plus spacieux et plus modernes.

II

ROMANTISME ET INDUSTRIE

A

EXPLOITATION DES STYLES

L'ESPRIT DU XIXe SIÈCLE Dans le monde occidental, l'époque 1830 marque le début de la véritable expansion de la grande industrie. C'est aussi l'époque que choisit le romantisme pour secouer fortement la sensibilité humaine et faire retentir la planète de ses orchestrations tour à tour grandioses, bruyantes et sentimentales.

À vrai dire, le machinisme reste pour le plus grand nombre, et pendant longtemps, un objet de curiosité, d'ébahissement. Cependant les guerres de la Révolution et de l'Empire, tout comme les conflits contemporains, aiguisent l'ingéniosité des savants et l'initiative des industriels. Bientôt on découvre les possibilités des machines-outils ; on en fait les premières applications pratiques. Les résultats ne se font pas attendre : les chemins de

83

fer s'étirent interminablement à travers l'Europe ; les navires de commerce, mus de plus en plus à la vapeur, transportent aux quatre coins de l'univers les produits manufacturés et les mécaniques les plus ingénieuses et les plus commodes ; et l'électricité n'est plus un amusant jeu de société comme au temps des Encyclopédistes, mais une force étrange dont on commence à deviner la puissance et qu'on s'apprête à exploiter. L'esprit de géométrie et de mathématique est en train de bouleverser le monde.

Le croirait-on ? L'homme vit alors assez peu dans le présent — comme si la vulgarité de l'*âge industriel* favorisait une sorte d'évasion vers le sentiment rétrospectif ou la raison scientifique. On vit intensément dans le passé, dans un pittoresque bric-à-brac historique, sous les accents enflammés des poètes, des dramaturges et des historiens auxquels les érudits apprennent le passé. Et on essaie de vivre dans le futur, à la lueur naïve et fascinante de la jeune science. Dans le milieu romantique en pleine effervescence, quelques hommes émerveillés ont l'impression enivrante qu'ils assistent à l'aurore d'une civilisation nouvelle, dont la nature et le destin sont intimement liés au culte et au perfectionnement de la machine. Et cet esprit, loin de s'émousser, s'avive au rythme des découvertes des savants et des réalisations des inventeurs.

Avec le recul du temps, l'époque romantique apparaît comme une sorte de plaque tournante.

Tout l'ancien système de l'artisanat est en train de basculer définitivement dans l'histoire, avec son génie et sa technique, son économie et ses traditions. Et pendant ce temps-là, la grande industrie, envahissant le monde du travail et celui des consommateurs, transforme radicalement l'existence des individus et des nations, aussi bien au moral qu'au matériel, change peu à peu l'aspect physique des pays occidentaux et pose des énigmes sociales jusqu'alors inconnues. Cette terrible dualité — que Paul Valéry désigne sous le binôme *Tradition-Progrès*, et qui n'est pas près de prendre fin — pèse gravement sur tous les arts européens, notamment l'architecture, cette épreuve des techniques. L'architecture a tendance à se modeler sur l'archéologie ; l'architecte est plus ou moins un archéologue. En sorte qu'on peut affirmer que le XIXe siècle, qui en somme a créé la science et les techniques et la rigueur mathématique dans l'une et les autres, n'a point de style à soi et ne peut en avoir. Il exploite sans vergogne le passé, tous les styles du passé, à mesure que l'archéologue les exhume de l'oubli ; il exploite toutes les formes, les plus éloignées de son esprit aussi bien que les plus extravagantes ; et il le fait avec une remarquable incompréhension et une sensibilité habituellement médiocre.

Dans l'ancienne Nouvelle-France, la même dualité apparaît brusquement dans le premier quart du siècle dernier et s'affirme comme une obsession à notre époque romantique, c'est-à-dire vers 1860.

D'un côté, c'est la tradition française devenue canadienne, avec ses formes affinées par l'usage, avec la majestueuse lenteur de son évolution, avec ses qualités profondément paysannes, avec ses artisans consciencieux formés à l'antique formule de l'apprentissage, filtrant avec prudence et assimilant les éléments de toute nouveauté. Cette tradition, nous venons de la voir à l'œuvre.

De l'autre côté, ce sont les styles et les modes architecturales de l'Europe, ses engoûments plus ou moins légitimes et viables, ses demi-créations et ses variantes des styles d'autrefois, qu'apportent au pays les immigrants et les livres illustrés, et que comprennent fort mal et les artisans du cru et les amateurs ; ce sont encore les produits industriels que les navires transportent à pleines cales et laissent sur les quais de Québec et de Montréal, produits que les bourgeois moyens acquièrent avec d'autant plus d'avidité qu'ils viennent de loin et qu'ils sont façonnés, au dire des importateurs, dans les « derniers styles de Londres et de Paris » ; en somme, c'est un vulgaire esprit de nouveauté qui s'accommode parfaitement de camelote : formes arbitrairement choisies dans le catalogue de l'histoire et servies sans discernement à la clientèle éberluée ; décoration postiche et mensongère ; matières de qualité inférieure camouflées en matières précieuses ; surtout médiocrité des proportions, des ornements et du dessin.

LE GOTHIQUE
TROUBADOUR
Cet esprit archéologique se laisse deviner chez nous dès 1816. Cette année-là, les habitants de Chambly demandent à leur évêque l'autorisation de construire leur église « en forme et figure de huit pans ». C'est le plan cruciforme qu'on veut acclimater au pays.

Mais c'est à la construction de l'actuelle Notre-Dame de Montréal que cet esprit archéologique apparaît au grand jour. Dans sa réponse aux syndics de Notre-Dame qui, dans l'hiver de 1824, lui offrent la direction des travaux de leur nouvelle église, Thomas Baillairgé écrit sensément : « Votre bâtisse devant être gothique et n'ayant étudié que l'architecture grecque et romaine, ce que j'ai cru suffisant pour le pays, je n'ai pris qu'une connaissance superficielle du gothique et je me crois de ce côté au-dessous de cette tâche. »

Et qui donc serait à la hauteur de cette tâche ardue à la date de 1824 ? Serait-ce l'Irlandais protestant James O'Donnell, de New-York, qui ignore tout de notre tradition et de notre climat ? Et quel est ce style gothique que l'architecte impose arbitrairement à la nouvelle Notre-Dame ? C'est un gothique troubadour d'origine anglaise, de formes sèches et coupantes, d'une mouluration mesquine et d'une construction irrationnelle[1] ; au

---

1. L'illogisme ne se manifeste pas seulement à l'intérieur, dont le décor est radicalement faux, mais aussi à l'extérieur. Les divisions verticales de la façade ne correspondent pas à la coupe transversale de l'édifice — ce qui explique et la maigreur des tours et le vide désagréable des grandes arcades.

surplus, le plan est si mal conçu que l'éclairage de l'édifice demeure longtemps un problème insoluble. Les raisons qu'invoquent les syndics pour justifier le choix de formes pseudo-ogivales sont dépourvues de sens. Les promoteurs de l'entreprise ne se rendent pas compte qu'en faisant un tel accroc à la tradition, ils brouillent le monde de nos artisans : les maîtres-maçons, qui ignorent l'esprit du style gothique — surtout cette variété-là — et n'y voient aucune relation avec ce qu'ils connaissent de l'art de bâtir ; les sculpteurs, qui perdent vite le sens de la forme à force de travailler sur des épures squelettiques ; les peintres, dont l'italianisme paysan est la négation même des formes maigres et prétentieuses de cette architecture d'imitation ; les autres corps de métier, qui obéissent à l'architecte parce qu'il est autoritaire, mais trouvent bizarres et ce mode de bâtir et ces ornements sans vie ; même les architectes, qui admirent de confiance, mais ne peuvent étayer leur engoûment sur aucun terme valable de comparaison. Aux yeux de ces artisans de bonne foi, c'est une aventure inquiétante.

Cette aventure a des prolongements inattendus. Dans la région de Montréal, les artisans qui ont travaillé à l'érection de Notre-Dame se dispersent, le gros œuvre terminé. On les retrouve là où il y a des églises à construire ; et c'est à peu près le même gothique qu'ils exploitent à Saint-Hilaire (1829), à Yamaska (1834), à Blainville (1835-1839), dont la façade seule est ogivale, à Saint-Sulpice

(1837), à La Pérade (1853), à Montréal même dans les églises de Saint-Pierre (1853), de Saint-Patrice (pl. 93) et de Saint-Jacques (1859) . . . Et quel gothique grêle, dégingandé, sans âme ! Même un excellent praticien comme Victor Bourgeau, tellement à son aise dans les formes traditionnelles, fait à peine moins mal que les autres dans le style qu'il croit gothique ; il a droit à quelque indulgence pour avoir construit la flèche si bien galbée de la cathédrale des Trois-Rivières (pl. 95).

Dans la région québecoise, où l'abbé Jérôme Demers et Thomas Baillairgé jouent le rôle d'architectes diocésains, le style gothique tarde un peu à paraître. C'est après 1840 qu'il connaît quelque faveur, grâce à deux hommes au goût fragile, le grand-vicaire Mailloux et le jeune architecte Charles Baillairgé. En 1849, ils édifient deux grandes églises — celles de Beauport et de Saint-Roch-des-Aulnaies — dont les formes générales et les détails sont plus médiocres encore que ceux de Notre-Dame de Montréal. L'élan est donné. En 1852, s'élève l'église de l'Isle-Verte ; en 1854, c'est la grande église de Rimouski, par Victor Bourgeau ; en 1856, c'est Sainte-Marie-de-la-Beauce, par Charles Baillairgé ; en 1869, c'est l'église de Deschaillons . . . Et depuis soixante-quinze ans, nos architectes ne cessent de construire des églises dans le même style ogival. Ce style, ils ne le connaissent guère que par les gravures plus ou moins fidèles des livres illustrés ; de sorte que les formes de ce style sont médiocres et vides et que le décor

89

de nos monuments pseudo-gothiques est à la fois abondant, vulgaire et inutile.

Si le style de nos églises gothiques est mauvais, leur réalisation l'est souvent bien davantage. Leurs formes ogivales, primitivement issues de la pierre, sont généralement exécutées en matériaux de revêtement comme le plâtre et la tôle. Cette solution facile est la source d'un mauvais goût grandissant. Les éléments décoratifs étant moulés en série, donc peu coûteux, les architectes les multiplient à leur gré. Nul n'est dupe de ce tape-l'œil qui s'étale. Mais tel est son attrait sur le goût vacillant de l'époque qu'il pénètre partout, même dans d'humbles églises de campagne, et qu'il avilit les monuments les plus sérieux, les projets les mieux étudiés. Inutile de citer ici des exemples ; car ils sont rares ceux d'entre nous qui n'en ont point chaque jour sous les yeux des exemples déplorables.

Font exception à la règle commune quelques églises dont les auteurs sont des architectes anglais qui ont étudié ou observé le style gothique dans leur pays — donc un style encore vivace, puisqu'il n'a pas subi d'interruption notable en Angleterre. L'une des plus simples est celle de Saint-Mathieu, à Québec ; sa tour paraît être la reproduction fidèle de la tour de Pimlico. Deux autres datent respectivement des années 1852 et 1853 : l'église Chalmers, à Québec (pl. 94), et celle de Sillery, œuvres de George Browne. La cathédrale anglicane de Montréal, commencée en 1857 d'après les plans de Franck Wills, de Salesbury (Angleterre), est d'un

art plus souple et plus sérieux ; sa flèche en pierre[1],
construite à la croisée du transept, a été pendant
longtemps la mieux galbée de la ville.

AUTRES STYLES Le style gothique n'est pas
le seul qu'on imite. La
vague de fond de l'esprit archéologique atteint
tous les autres styles connus, à mesure qu'ils rede-
viennent à la mode ou qu'on les découvre au hasard
des livres illustrés.

L'un nous vient d'Angleterre ; c'est celui de
Wren et de Gibbs. Il apparaît dès 1804 à la cathé-
drale anglicane de Québec (pl. 89), dont le major
Robb et le capitaine Hall surveillent les travaux ;
il apparaît l'année suivante à la façade de la première cathédrale anglicane de Montréal (pl. 90),
édifiée d'après les dessins d'un architecte amateur,
Wilhelm Berczy ; il apparaît encore au clocher de
Saint-Andrew, à Québec, élevé en 1809 par John
Bryson. Cette variante de classique anglais connaît une certaine faveur : c'est elle que Thomas
Baillairgé met en œuvre à l'église Saint-Patrice,
à Québec (1831), et à l'église de Deschambault
(pl. 66) ; c'est elle qui inspire à Louis-Thomas
Berlinguet la façade de Saint-Jean (île d'Orléans
(1852), et à son fils François-Xavier Berlinguet la
façade de Saint-François (Montmagny) et celle de
l'église du Château-Richer (pl. 91). Quelques

---

1. Démolie il y a une vingtaine d'années parce qu'elle menaçait
d'écraser l'édifice, elle a été reconstruite récemment en matériaux légers.

autres façades, comme celle de Lévis, sont des variantes de celles-là.

En général, les styles ne parviennent à nos architectes qu'à travers des transpositions européennes. Nos praticiens les adoptent tous ; non en raison de leurs possibilités architecturales, de l'excellence ou de la fécondité de leurs formes, de leur adaptation à nos habitudes et à notre climat — ces préoccupations ne se font jour que chez un petit nombre d'entre eux. Ils les adoptent soit par emballement passager, soit par convenance, soit par sentimentalité ou caprice.

Ainsi le style roman paraît convenir à un hôpital ou à une église de campagne — et Victor Bourgeau le met en œuvre à Saint-Isidore de Laprairie, à l'Hôpital-général de Montréal et dans le plan de petites églises campagnardes qui possèdent quelques-unes des qualités du roman. Ainsi une mode bizarre veut que tout établissement bancaire prenne l'aspect d'un temple grec ou romain — et John Wells en donne le chef-d'œuvre à la Banque de Montréal (pl. 99a), et d'autres architectes suivent son exemple sans hésitation. Ainsi la coupole devient à la mode aux environs de 1846 : cette année-là, Footner en construit une, sans raison apparente, au centre du Marché Bon-Secours (pl. 96) ; Bourgeau retient la leçon et élève la coupole de l'Hôtel-Dieu de Montréal (1859) ; l'abbé Dorion en fait autant à l'église d'Yamachiche (pl. 97b), Jean-Baptiste Bourgeois chez les Ursulines des Trois-Rivières, l'abbé Bouillon à l'église des Trois-Pistoles, le Père Joseph Michaud à la cathédrale de Montréal — mais c'est là une autre histoire —, Berlinguet à la chapelle des Dominicaines de Québec (1898), je ne sais plus quel architecte au Bureau de Poste de Québec, Napoléon Bourassa à la petite église de Notre-Dame-de-Lourdes (pl. 98). Ainsi, pour des raisons de convenance et de sentiment, Eugène Taché s'efforce de donner au Parlement de Québec l'élégance fleurie et menue du style Henri II (pl. 100) ; John Ostell pare l'église Notre-Dame-de-Grâce, à Montréal, d'un portail de style Jésuite (pl. 97*a*) ; Philippe Hébert campe une Madeleine de Verchères un tantinet efféminée sur un socle à créneaux d'allure moyenâgeuse ; Charles Baillairgé reconstruit la porte Saint-Louis, à Québec, en un style ogival médiocre, dont le symbolisme est tout à fait déplacé . . .

Il y a un style qu'on exploite avec une grande ferveur, notamment en architecture religieuse ; ou plutôt un amalgame de styles, dont l'un, le byzantin, est constant et l'autre est tour à tour le roman et le gothique. Napoléon Bourassa cultive ce genre avec plus de constance que de talent. Mais les champions de cette trouvaille sont Perrault et Mesnard ; à Varennes, à Blainville et à Saint-Hubert (pl. 101), ils modulent avec lourdeur sur des motifs romans ; à Longueuil, c'est le grand jeu gothique, et c'est aussi une grande bêtise.

Dans notre architecture archéologique, les architectes apportent une imagination qui s'exerce beaucoup moins sur l'ensemble, sur la silhouette des édifices, que sur les détails ; ils y apportent une sensibilité qui ne voudrait vibrer que devant la grandeur — car seule la grandeur les attire. Ils en arrivent donc à composer des édifices qui sont typiquement québecois, en ce sens que l'on n'en peut voir que dans la vallée du Saint-Laurent (pl. 102). Depuis les environs de 1860, se sont élevées des constructions — je pense surtout aux églises de la campagne et aux habitations urbaines — dont le galbe, l'allure et la mise en œuvre des matériaux sont tels qu'ils donnent bien l'idée d'un style, oui, mais d'un style qui se serait développé à rebours du sens commun : la nation est dans l'ensemble d'extraction paysanne, et on élève pour elle des monuments plus orgueilleux que grandioses ; la nation est pauvre, et on construit pour elle des édifices fastueux, ou plutôt des édifices qui paraissent fastueux ; la nation est simple, tout au moins elle devrait l'être, et on imagine à son usage des plans inutilement compliqués, des décors tarabiscotés, des monceaux d'ornements d'une surcharge agaçante. Comme si, las des vertus qui ont assuré sa survie, le paysan d'hier voulait remonter d'un échelon dans l'estime des gens qu'il croit civilisés . . .

S'il monte — et rien n'est moins sûr —, c'est au prix de la simplicité ; c'est à l'aide d'une telle masse de mensonges architecturaux qu'on en reste confondu. Car nous n'avons guère imité que des formes, sans nous soucier de leur genèse, de leur

utilité technique, de leur poids esthétique. Avec
le plâtre et la tôle, nous avons imité la pierre et le
marbre ; avec le bois blanc, les bois précieux ou
exotiques ; avec les pâtes de bois, le bronze et le
fer forgé . . . En sorte que notre architecture de
la seconde moitié du XIXe siècle n'est riche qu'en
apparence et à condition de la rajeunir tous les dix
ans avec de la peinture ; qu'elle trahit une indi-
gence d'imagination regrettable et un sens morbide
de l'imitation ; qu'elle est nettement spectaculaire
et ostentatoire, comme les sentiments mêmes qui
l'ont inspirée.

Spectaculaire et ostentatoire, elle l'est bien
davantage dans les imitations sentimentales qu'on
a faites de monuments italiens. L'exemple le plus
probant et le plus déplorable à la fois est la cathédrale de Montréal (1885). Deux hommes de talent
y ont attaché, bien à regret, leurs noms : Victor
Bourgeau et le Père Joseph Michaud. L'auteur
véritable de ce pastiche est monseigneur Bourget :
pour témoigner de son indéfectible attachement
au Saint-Siège, il prend la détermination de construire sa cathédrale sur le modèle de Saint-Pierre
de Rome réduit de moitié. C'est donc un édifice-
symbole. Le symbole est ici discutable. L'édifice, lui, ne l'est point : c'est de la mauvaise architecture et, pour ajouter à la faute de son auteur,
c'est le plus mauvais exemple que l'autorité pouvait donner à une population qui était en voie de
perdre sa personnalité.

B

TRANSFORMATION
INDUSTRIELLE

L'esprit archéologique et le romantisme sont, on l'a vu, les causes essentielles de la transformation radicale de notre architecture au XIXe siècle. Elles ne sont pas les seules. Les matériaux et les procédés constructifs y jouent un rôle variable, que je voudrais marquer en quelques mots.

MATÉRIAUX NOUVEAUX À mesure que le pays grandit par l'augmentation normale de sa population et l'apport des immigrants, l'on explore son sous-sol et ses forêts, ses possibilités minières et ses roches à fleur de surface. Çà et là des moulins à scie s'élèvent à proximité des chutes d'eau ; des briquetteries s'établissent non loin de dépôts argileux ; des

hauts-fourneaux s'allument ; des usines se construisent ; la main-d'œuvre industrielle apprend
laborieusement son métier. Le pays s'achemine
peu à peu, et sans plan raisonné, vers l'industriali-
sation. Celle-ci pénètre assez peu à la campagne,
à cause des difficultés de transport et de main-
d'œuvre, et d'une certaine résistance des campa-
gnards à l'adoption des mécaniques nouvelles.
Mais elle pénètre rapidement dans les villes, parce
que les bras y sont nombreux et ne demandent
qu'à travailler et que les perspectives de profits
sont encourageantes.

L'architecture est le premier des arts qui en
éprouve les effets. D'abord, elle renouvelle son
vêtement extérieur. La pierre de taille et le
moellon de calcaire ou de granit continuent d'être
les matériaux de revêtement les plus répandus.
Mais il s'y ajoute les cailloux des carrières récemment ouvertes, et il y en a de fort beaux ; les
pierres de granit taillé, que les carriers appellent
la *pierre à bosse* ; la brique tendre et poreuse du
pays, dont les deux variétés, la rouge sombre et
la rose sale, donnent à certaines rues des villes une
allure vulgaire et triste ; la brique d'Écosse, im-
portée à grands frais, imperméable et de colora-
tion discrète. Parfois la pierre et la brique alter-
nent en jeux de couleur. Les toits sont recouverts
non plus seulement de bardeau de cèdre, mais de
fer-blanc ou de tôle, l'un et l'autre posés soit à la
canadienne soit sur des tasseaux de bois. Les
fenêtres ne sont plus garnies de carreaux minus-

cules de verre diversement coloré ; désormais l'industrie met à la disposition du constructeur des feuilles transparentes de plus en plus grandes, ce qui change considérablement l'aspect des vides.

L'architecture renouvelle ensuite son aspect intérieur. Dans ce renouvellement, les styles occupent d'abord une place plus grande que les matériaux ; mais au bout de quelques années, c'est le contraire qui se produit. Le plâtre, le stuc et les autres matières plastiques deviennent vite d'un emploi courant et remplacent le bois de revêtement, ce qui est légitime. Mais ces matériaux épousent si facilement toutes sortes de formes, même les plus compliquées, que certains architectes succombent à la tentation de les maquiller en membres architectoniques. C'est dans les églises catholiques que cette grave erreur triomphe ; elle atteint ensuite les habitations domestiques, les édifices civils et conventuels, les immeubles commerciaux, même certains meubles religieux. Vers 1900, les trois quarts et demi de nos monuments sont des recueils de mensonges et de vulgaires faussetés architecturales.

Au milieu du siècle, le ciment, le fer, l'acier et la fonte font leur apparition dans la structure de quelques grands édifices. Viennent ensuite la tôle pressée dont on fait des plafonds à caissons, la tuile dont on recouvre les planchers, le marbre massif ou en aggloméré, les bois exotiques . . . C'est avec ces derniers bois que nos anciens sculpteurs d'église façonnent les admirables boiseries — je parle de la technique, bien entendu — des somptueuses villas du chemin Saint-Louis, à Québec, et de la Montagne, à Montréal.

Quels que soient les matériaux, anciens ou modernes, qui entrent dans notre architecture au XIXe siècle, on peut affirmer qu'aucun d'eux ne contribue à la naissance de formes nouvelles. Ce sont des expédients commodes, des substituts éventuellement économiques qui n'exercent qu'une action infime sur l'art de bâtir. Le cas de l'acier et de la fonte est typique. Sauf en de rares édifices — par exemple, le Grand Séminaire de Québec dont l'escalier central, en pierre et en fonte, tire quelques-unes de ses qualités de ces deux matériaux —, la structure métallique ne change rien au plan ni à l'ordonnance de l'édifice ; elle se cache habituellement derrière des enduits soufflés ; et nul ne peut déceler un maigre poteau de fer au centre de tel pilier rond de trois pieds de diamètre. Le reste est à l'avenant.

Si je considère notre architecture de bois, je remarque qu'après plus de cent cinquante ans d'essais, elle n'a pu produire, contrairement à la Suisse ou à la Norvège, un véritable style du bois. Nos maisons de bois de l'époque 1830-1900, qu'elles soient construites en « pièces sur pièces » ou en colombages, sont des imitations non déguisées, parfois heureuses, de nos maisons de pierre. Elles ont assurément des qualités, notamment dans les proportions générales et dans la distribution des vides ; mais ces qualités ne proviennent pas du matériau mis en œuvre ; elles ont leur origine dans les habitudes artisanales de nos constructeurs. Cette fois, la logique paysanne est en défaut. Seule la maison de billes de bois apparentes — et il y a des *log cabins* d'un style tout à fait charmant — révèle un véritable style du bois ; mais ce n'est pas chez nous qu'elle a pris naissance.

LE PROGRÈS ET SA RANÇON

Toute bonne architecture est adaptée au paysage, aux édifices et aux choses diverses qui l'entourent. Elle exprime l'âme profonde d'une collectivité, son goût de la vie et du labeur, son respect de la personnalité humaine ; elle contribue à l'épanouissement de l'homme en aiguisant chez lui le sens de la durée, de la pérennité.

Ce sont bien les sentiments qu'on éprouve devant nos vieilles habitations en cailloux des champs, nos églises d'autrefois, nos édifices conventuels, nos clochers et nos moulins, même ces minuscules merveilles d'élégance que sont nos laiteries et nos remises en pierre. On y sent une architecture d'une légitimité absolue, parfaitement adaptée à l'humble population qui la cultive comme une espèce rare, conçue et construite pour abriter et desservir des générations d'hommes simples et laborieux. Cette architecture *chante*, selon le mot d'Eupalinos[1] ; et malgré son âge, elle est et elle reste toujours jeune.

---

1. Cf. VALÉRY, *Eupalinos ou l'Architecte*. Paris, 1938, pp. 105-106.

101

Peut-on éprouver les mêmes sentiments devant notre architecture archéologique, celle qui est en somme le lot de notre XIXe siècle ? À l'égard de certains monuments, oui. La façade de la Banque de Montréal (pl. 99*a*), le Manoir Masson à Terrebonne (pl. 44*a*), la coupole de l'Hôtel-Dieu de Montréal, la façade (sur la cour) du Palais épiscopal de Québec — pour ne citer que ces quatre édifices — possèdent suffisamment de grandeur et de simplicité pour qu'ils *parlent*, pour continuer l'espèce de marche harmonique d'Eupalinos. Mais devant d'autres monuments, dont l'église de Longueuil symbolise les défauts les plus grossiers, on ne peut se défendre d'un certain malaise — comme celui qu'on ressent devant des choses qui ont cessé d'exister. Non seulement ils sont *muets*, dirait encore Eupalinos par le truchement de Valéry, mais ils datent terriblement ; ils appartiennent à un passé mort ; et comme pour souligner leur pitoyable état, d'autres édifices les entourent qui sont morts eux aussi, qui encombrent les voies et le regard de leur masse inerte, qui créent des ombres dures là où devraient scintiller le soleil et bruir le feuillage, qui sont et n'existent pas. Et à perte de vue le long des voies urbaines et jusque dans les petites villes les plus lointaines, c'est le cimetière des laissés pour compte d'une époque qui a beaucoup produit mais qui a beaucoup trop souvent emprunté.

Peut-être cette architecture se présentait-elle bien différemment autrefois, dans la fraîcheur de ses matériaux et l'actualité passagère de ses formes.

Car avant l'âge industriel, point de poteaux de télégraphe et de téléphone dans les rues de nos villes et de chaque côté des routes ; point d'antennes de radio sur les maisons et les monuments ; point de transport électrique dans les villes, donc des milliers de poteaux et des centaines de milles de fil de fer en moins ; peu ou point de chemins de fer ; surtout point de panneaux-réclames. Rien alors ne vient souiller l'architecture ni le paysage. Quand on rapproche une aquarelle d'autrefois d'une photographie récente représentant l'une et l'autre le même sujet (par exemple, tel coin de Québec en 1830 qui n'a pas notablement changé, ou tel monument de Montréal, ou tel village qui est resté à peu près le même), on est étonné de la différence qui sépare les deux *états* du même sujet. Alors que l'aquarelle, qu'elle soit de Cockburn ou de Grant, de Bainbridge ou de Heriot, nous fait voir une architecture relativement simple, telle que l'a voulue l'architecte, la photographie récente donne une pénible impression d'encombrement et de complication inutile, d'improvisé et de provisoire, parfois même de laideur incurable ; l'architecture est souillée par une multitude d'éléments parasites absurdes, de béquilles squelettiques et noirâtres, de fils métalliques en toiles d'araignée, de réclames mal composées et encore plus mal peintes — sans parler, évidemment, des restaurations dues à des restaurateurs maladroits.

C'est la rançon de ce qu'on appelle le progrès. Cette rançon, un peu d'esprit urbaniste chez les hommes publics, les architectes et les ingénieurs eût évité de le payer trop cher. Cependant je constate que, dans ce sérieux handicap, nos monuments de tradition française s'en tirent beaucoup mieux que les grandiloquentes productions de l'ère romantique. Leur caractère et leurs belles proportions les défendent victorieusement contre la lèpre de nos villes et le mauvais goût de certaines générations.

III

ARCHITECTURE CONTEMPORAINE

A

SURVIVANCES

En dépit de son éclectisme arbitraire, l'architecture du XIXe siècle est emprisonnée dans des formules : formules de style, formules de technique.

Les formules de style sont tyranniques et infécondes ; et un esprit clairvoyant comme Viollet-le-Duc prévoit, dès le règne de Napoléon III, leur fatigue prochaine et leur épuisement avant la fin du siècle ; s'il se trompe d'une quarantaine d'années, c'est qu'il surestime et l'esprit logicien de ses confrères et l'aptitude du public à réformer son goût. Les formules de technique sont plus tyranniques encore ; sauf exceptions — et ce sera l'objet du dernier chapitre —, les architectes veulent bien accueillir et mettre en œuvre les matériaux artificiels que l'industrie ne cesse de produire, mais à condition qu'ils entrent dans le jeu archéologique comme de simples substituts et qu'ils jouent le bout de rôle qui leur est assigné, sans troubler en quoi que ce soit l'effet des matériaux et des formes classiques.

Ainsi l'architecture franchit le seuil du XXe siècle comme une vieille dame attifée à la dernière mode, qui porterait des dessous d'une modernité agressive. Dans la province de Québec, elle ne se présente pas autrement ; sauf que la mode retarde de plusieurs années, voire d'un demi-siècle, et que la modernité des dessous n'a encore rien de bien agressif.

La tradition française n'est pas tout à fait éteinte. Quand on voyage beaucoup et qu'on n'est pas trop distrait, on en trouve des manifestations isolées. Pas tant dans les villes qu'à la campagne. Ce sont d'humbles maisons de pierre ou de bois, qui ne possèdent d'autre attrait que leurs proportions et leur simplicité. Dans les régions de la Baie-Saint-Paul et de la Gaspésie, du Témiscamingue et de Joliette, elles se détachent avec grâce des petites boîtes carrées à frontons de tôle, qui s'y sont élevées depuis une quarantaine d'années. La tradition française, on la retrouve encore, cette fois à l'état archéologique, dans l'œuvre d'architectes que séduisent l'aspect et le pittoresque de nos maisons d'autrefois ; les formes, ils les reproduisent sans peine ; mais l'esprit, c'est autre chose. Et les essais d'architecture archéologique canadienne qu'on peut voir à Charlesbourg et à Arvida, à Deschambault et aux Trois-Rivières, à Montréal et à Lachine manquent de logique paysanne et de fantaisie : ce sont des corps sans âme.

Loin de subir une régression, comme on s'y attendrait normalement à la suite de l'emploi constant de matériaux et de procédés absolument nouveaux, les traditions étrangères prennent une extension considérable au cours des cinquante années de notre siècle. L'arsenal des formes périmées se complète même des dernières découvertes archéologiques et des derniers rajeunissements des styles éteints. C'est ainsi que le *Colonial* américain, le gratte-ciel gothique, la maison de rapport parisienne de style Napoléon III, même le *dombellotisme* entrent dans la catégorie des formes exploitables et enrichissent leur homme.

Il serait oiseux, sinon inélégant, d'entrer dans les détails et d'analyser impartialement des réussites architecturales de naguère qui ont vieilli très vite et sont devenues indifférentes. Car cette architecture, encore très près de nous et dont les auteurs, pour un tiers, vivent encore, cette architecture était regardée il n'y a pas si longtemps comme la seule légitime, la seule esthétique, imposée d'ailleurs par un enseignement rigoureux et exclusif. Pour la juger, il est préférable d'attendre que les deux générations qui en ont fait les frais et leurs délices aient revisé leur conception de l'art architectural, ou qu'elles aient disparu. Mais je remarque que, de 1900 à 1939, notre architecture archéologique est de bien meilleure tenue qu'à

109

l'époque précédente. Certains architectes se donnent la peine d'étudier à fond les styles et, dans les styles, les variantes vraiment dignes d'intérêt ; ils soignent bien davantage la partie technique de leur art ; ils mettent en œuvre, et avec moins d'illogisme qu'auparavant, des matériaux choisis avec goût et assemblés avec une certaine recherche de style ; ils font davantage appel aux autres arts : à la sculpture, qu'ils assagissent ; à la peinture, à laquelle ils assignent un rôle uniquement figuratif, au vitrail à l'exécution duquel ils participent peu, à la ferronnerie pour laquelle ils imaginent des dessins originaux et distingués ; bref ils impriment à notre architecture une sorte de caractère *grand-bourgeois*, avec ce que cela comporte de grandiloquent et de légèrement puéril, de riche et de sérieux, de froid et de compassé. Toutefois, ce n'est là qu'un aspect de notre architecture archéologique, celle qu'on érige avec des moyens financiers considérables : temples et églises de grandes paroisses, maisons de finance et de commerce, édifice publics et conventuels, musées et immeubles universitaires, monuments commémoratifs . . .

Mais au-dessous, on distingue, hélas ! une architecture répandue sur tout le territoire, dont les formes, l'esprit et les procédés, même les mensonges techniques, viennent directement des mauvaises habitudes du XIXe siècle. Cette architecture, bonne fille, s'accommode de tous les styles mais, chose bizarre, elle s'inspire surtout des styles de troisième ordre ; elle admet tous les procédés, pourvu qu'ils concourent aveuglément à l'effet théâtral et boursouflé qu'elle recherche ; elle se plie aux caprices les plus étranges et aux sentiments les plus banals ; par dessus tout, elle veut être, quels que soient les moyens et les matériaux, grande et imposante. Elle reste spectaculaire et ostentatoire, comme son aînée. Mais dans ce domaine, elle la dépasse de toute la frivolité et de tout le mauvais goût de notre époque de transition. Encore une fois, inutile de citer ici des monuments que tout le monde connaît et dont nous rougissons tous les jours. Je me contente de signaler, en taisant les noms propres, un fait typique, qui s'est d'ailleurs répété maintes fois de Gaspé à Vaudreuil. Nous sommes en 1910, dans un village non loin de Québec ; l'église n'est ni jeune ni ancienne : elle a été construite en 1836 d'après les plans de Thomas Baillairgé ; sans doute, elle a besoin de réparations, mais elle est encore solide ; la sagesse et le respect élémentaire du passé exigeraient qu'on la conserve. Pas du tout, on la démolit ; et sur ses décombres, on élève une grande église très haute, difficile à chauffer, dont tout le décor intérieur est en plâtre et dont les deux clochers de tôle sont d'un effet grandiloquent et insupportable. — Dans cette architecture prétentieuse, nous nous peignons nous-mêmes, avec notre imagination médiocre et notre sentimentale inconvenance . . .

Descendons encore et parcourons les nouveaux quartiers de nos villes. D'où viennent ces habitations carrées, dont les façades sont hérissées d'escaliers de fer et couronnées de frontons de tôle peinte et de créneaux ? Ce sont des rejetons, affreusement perfectionnés, des habitations à toits plats, qui remontent à l'emploi généralisé du goudron, aux environs de 1880. D'où viennent ces maisons plus récentes, peintes de tons suaves, qui reproduisent dans leur morne cortège trois ou quatre types de formes excessivement lourdes ? Elles viennent directement de ce qu'on appellerait l'office d'uniformisation, sorte de vaste essai d'abrutissement collectif. D'où viennent ces villas blanches à terrasses, ces maisons de pierre sombre flanquées de poivrières romanes, ces édifices d'aspect sévère comme des prisons ? Ce sont des imitations sentimentales et bâtardes de maisons étrangères, dont on a vu les photographies dans des revues illustrées ou dans des réclames alléchantes — car on choisit souvent un modèle de maison comme on choisit une robe, une balançoire ou une boîte de tomate, sur la foi d'une vignette pimpante et bien imprimée . . .

C'est dans nos villages d'autrefois qu'éclate la décadence de notre architecture. Sur la côte de Beaupré, par exemple, des maisons de pierre blanchies à la chaux et entretenues avec soin, témoignent de la simplicité de nos pères, de leur sens de l'architecture et de leur goût. Tout à côté, l'œil plus agacé que surpris aperçoit des habitations étranges, affublées de tourelles et de frontons ridicules, de motifs folichons en bois découpé ou en

112

fonte, de créneaux et de colonnes coniques, de chambranles en débris de faïence et de consoles tarabiscotées — de ces habitations qui irritent le regard par leur prétention et salissent le paysage par leur laideur . . .

C'est qu'au lieu d'aborder franchement le problème de l'architecture domestique moderne, l'esprit paresseux des constructeurs adopte la solution facile et bâtarde de l'imitation étrangère.

B

FORMES NOUVELLES

De même que les navires à vapeur et les convois de chemin de fer n'ont eu d'architecture propre qu'après une période assez longue de recherches et de tâtonnements — au cours de laquelle les formes des voiliers et des diligences se sont maintenues avec un illogisme de plus en plus évident —, ainsi l'architecture contemporaine n'a conquis ses formes propres qu'après l'épuisement complet des imitations archéologiques des cent dernières années.

À la vérité, cette conquête n'est point le fait de l'architecte seul ; l'ingénieur peut, avec raison, en revendiquer comme sienne la plus grande part. Tout comme au Moyen Âge, la solution des problèmes techniques vient du cerveau de l'ingénieur ; après lui, l'architecte paraît, qui imprime à cette solution un tour esthétique et le cachet de sa sensibilité personnelle.

L'architecture moderne est donc, dans son ensemble, un produit de la science et de l'industrie, précisément de la statique graphique et de la métallurgie ; et c'est dans l'architecture industrielle qu'il en faut chercher la genèse.   Cette origine, parfaitement logique mais peu illustre, a éloigné, et éloigne encore, un grand nombre de gens des formes cubiques et habituellement utilitaires de l'architecture moderne.

Ces formes résultent rigoureusement et d'une réaction brutale contre les complications inutiles de l'architecture archéologique, et de l'emploi raisonné de deux matériaux relativement anciens, le ciment et l'acier, et de leurs combinaisons.   Ces deux causes coexistent depuis près d'un siècle. Elles sont les conséquences normales du rationalisme que Viollet-le-Duc a prêché toute sa vie et qu'il a consigné en formules dialectiques dans ses *Entretiens sur l'Architecture*.   En France, patrie de la raison raisonnante, elles ont produit, dès 1894, une œuvre d'une grande hardiesse de conception et de formes, l'église Saint-Jean-de-Montmartre, par de Baudot ; c'est le premier chaînon d'une chaîne déjà longue, que jalonnent des chefs-d'œuvre comme le théâtre des Champs-Élysées à Paris, élevé en 1912 par Auguste Perret, l'église du Raincy (1923), par le même architecte, l'hôpital de Grande-Blanche à Lyon, par Tony Garnier, l'église Saint-Antoine, à Bâle, qu'a construite l'architecte Moser en 1930...

Chez nous — si l'on excepte les *élévateurs* à grain et des constructions du même genre —, l'architecture moderne ne prend naissance qu'après

1920. Elle est d'abord d'une timidité excessive.
Elle se dissimule dans des soubassements pas trop
visibles, dans des annexes de maisons hospitalières
ou conventuelles, dans des édifices utilitaires qui
échappent au profane ; elle se pare parfois de
matériaux traditionnels comme la pierre, la brique
ou le marbre ; elle se fait simple et nue et s'affiche
aussi peu que possible ; et elle essaie de se faire
pardonner son existence par des proportions ins-
pirées de l'Antique.

À l'Université de Montréal (pl. 103 et 104a), le
style moderne entre dans notre histoire par la voie
triomphale ; ce vaste et courageux essai d'architecture grandiose est, en même temps, un recueil de
morceaux de bravoure ; les réussites de détail,
notamment à l'extérieur, font oublier la facile ordonnance du plan et une certaine monotonie des
vides ; au reste, le monument est un point de re-
père considérable et dans le temps et dans l'espace :
l'année 1925, qui a vu l'exposition des Arts décoratifs de Paris et l'élaboration des plans de l'Université de Montréal, est aussi la date de naissance
de notre architecture libérée du « fétichisme du
passé mort ».

Sans faire école, l'Université de Montréal est
trop présente au flanc de la Montagne pour ne pas
créer une sorte de climat favorable à certaines
images éblouissantes : architecture de lumière
chaude qui chante dans la verdure et égaie les rues
poudreuses ; murailles nues et lisses qui s'offrent
dans la simplicité de leurs lignes rigides ; rectan-

gles de soleil où brillent les larges surfaces de verre ; pavillons soudés sans symétrie et rythmés à la fantaisie de l'architecte ou aux exigences de la vie en commun ; architecture blanche et massive inspirée de celle des Tropiques, qui exhale son éloquence dans les joyeux bosquets et les parterres de fleurs, mais lutte malaisément contre le blanc froid de la neige et l'atmosphère enfumée de nos villes humides.

À Outremont, à Montréal et dans les environs, se sont élevées depuis 1930 des habitations claires et riantes, qui possèdent quelques-unes des qualités de nos maisons d'autrefois : l'intérêt des proportions, la légitimité du plan et des élévations, la variété et le rythme des éléments, la logique de la construction ; tels sont les caractères de certaines villas qu'a construites, avec beaucoup de soin et de sensibilité, Marcel Parizeau (pl. 104*b*). Les localités de villégiature des environs de Québec et de Montréal comprennent quelques habitations de ce genre, assurément moins sobres d'aspect à cause de leur destination estivale, même quelque peu voyantes ; elles exercent une influence de plus en plus grande sur le goût public. Et les quartiers récents de nos villes et certains villages-champignons rappellent, par leurs formes et la blancheur de leurs murailles, ces cités lointaines que nous font connaître la photographie et le cinéma.

Car l'architecture contemporaine offre cette curieuse contradiction : d'une part, elle est internationale, puisqu'on en trouve des témoignages, souvent magnifiques, sous toutes les latitudes et du premier méridien au dernier ; d'autre part, elle est, dans chaque pays, l'apanage d'un petit groupe d'architectes et de *connoisseurs,* que suivent de plus ou moins loin les hommes de bonne volonté que n'effarouche point la hardiesse des créateurs. C'est exactement vrai dans l'architecture civile — et il est des édifices publics et industriels dont on retrouve, sous tous les climats, l'esprit purement actuel, même les formes quasi internationalisées.

C'est moins vrai dans l'architecture religieuse ; mais on y sent tout de même l'essai d'une certaine uniformisation. Ici, la tradition, au sens le moins large du terme, joue avec une rigueur constante. Tradition dans les symboles, tradition dans les formes, tradition dans les matériaux. C'est à cette dernière tradition qu'on a fait, au grand scandale des esprits indolents, les premiers accrocs ; ils ont amené nécessairement une évolution, tantôt timide, tantôt brusque, des formes. Mais s'il a été possible de moderniser certains symboles religieux — et l'on sait qu'ils sont innombrables dans l'art religieux, et que même certains groupes de formes acquièrent une forte valeur de symbole —, il en est d'autres qui sont restés irréductibles. Voilà pourquoi notre architecture d'église tarde tant à devenir tout à fait moderne. Jusqu'ici une seule, la nef de l'église de Matane (pl. 93), est entièrement dégagée de tout esprit archéologique ; là l'architecte a vu dans les six directions sans qu'intervienne le moindre souvenir de déjà-vu ;

119

et il a oublié les styles pour mieux atteindre le
style. Une impression d'ingénuité nous pénètre
en entrant dans cette vaste nef en parabole : c'est
un lieu de réunion accueillant, protecteur, sûr
comme un abri naturel.

Dans d'autres édifices religieux, je relève des
tentatives généreuses, des essais pleins d'ingéniosité
et de savoir-faire, des trouvailles dans le dessin et
le décor de certains meubles d'église. Mais j'y
cherche en vain cette cohésion dans le style, cette
constance dans la pensée architecturale, cette
attention toujours surveillée qui font les œuvres
fortes. Il n'y a point là manque de talent, mais
improvisation trop hâtive : comme les enfants,
nous piaffons d'impatience après un monument.
Au fond, c'est là le mal du siècle, oui ; mais c'est
aussi notre mal particulier, mal que nous cultivons
avec orgueil et chérissons comme une propriété
nationale, parce qu'il flatte notre vanité. Nous
imitons nos puissants voisins, qui font surgir de
terre, en un temps record, des édifices immenses ;
mais, dans notre béate admiration pour tout ce
qu'ils produisent, nous ne nous apercevons point
qu'ils ratent les trois quarts et demi de leur produc-
tion architecturale précisément à cause de leur
funeste improvisation ; et nous ne voyons point
que nous, avec la médiocrité de nos moyens et le
peu de rayonnement de notre prestige, nous ne
pouvons nous permettre de tels coups d'épée
dans l'eau. Notre architecture moderne devrait
être parfaite ; parfaite dans son dessin, parfaite

dans ses matériaux, parfaite dans son exécution...

Si les grandes œuvres religieuses sont rares chez nous — et j'en vois la cause bien moins chez les architectes que chez leurs clients mal éclairés ou trop pressés —, il n'en est pas ainsi des meubles nécessaires au culte. Les architectes, et surtout les artisans spécialisés — ils sont de plus en plus nombreux —, en soignent avec amour le dessin, le décor et la technique. Autels, lampes de sanctuaire en fer forgé, vitraux et chemins de croix, statues en pierre ou en bois, bas-reliefs et peintures murales, pièces d'orfèvrerie, détails d'architecture témoignent d'un vigoureux effort non seulement pour secouer la tutelle des styles défunts, mais encore pour renouveler entièrement les formes et l'esprit de nos arts décoratifs religieux. Ce renouvellement est, en général, tout imprégné d'onction classique — comme les portes du noviciat de Joliette, le Baptistère de Limoilou ou les peintures de Martial à l'église de Matane ; parfois, il est plein de hardiesse imaginative et d'expression — comme les vitraux de Joliette, les peintures de Notre-Dame-de-Grâce, à Montréal...

Enfin, quelques-unes de nos villes s'éveillent à l'urbanisme — et dans ce terme, il faut entendre aussi bien la conception des grands ensembles urbains de l'avenir que la simple conservation des belles œuvres du passé. Ainsi peut-on espérer qu'avant la fin du siècle, notre architecture, redevenue simple et logique, contribue à l'embellissement de cette Nouvelle-France qui apparaissait aux yeux des mémorialistes du XVIIIe siècle comme une province éloignée du beau pays de France — du pays de l'architecture.

IV

QUELQUES ARCHITECTES

BIOGRAPHIES

On trouvera dans les pages suivantes quelques esquisses biographiques de constructeurs — architectes, ingénieurs, maîtres-maçons, charpentiers, menuisiers, voire théoriciens —, qui ont laissé des œuvres d'architecture ou qui ont exercé une influence décelable sur l'évolution et les formes de notre art de bâtir.

Un légitime souci d'impartialité limite mon choix aux disparus. Parmi eux, il convient de distinguer quatre catégories : les architectes proprement dits, à la manière moderne, qui font profession de concevoir des plans d'édifices et de les faire exécuter suivant un devis explicatif — tels sont Gaspard Chaussegros de Léry, Thomas Baillairgé, John Wells, Victor Bourgeau, etc. ; certains maîtres-maçons et charpentiers, dont la collaboration intime et les dessins, même sommaires, équivalent à la direction unique de l'architecte — telles sont certaines dynasties de constructeurs comme les Branchaud et les Archambault, les Dutrisac et les Bédard, mais leur collaboration est souvent difficile à préciser ; les architectes par nécessité ou amateurs — tels les Récollets Augustin Quintal et Anselme Bardou, Wilhelm Berczy et l'historien Faillon, l'abbé Octave Audet et le chanoine Bouillon — , qui ont fait preuve de talent, mais dans de rares œuvres ; enfin, un certain nombre de sculpteurs qui, parce qu'ils dressent les plans des retables et des meubles d'église qu'ils s'engagent à exécuter, prennent souvent le titre d'architecte — c'est le cas de Paul Jourdain et de Louis Foureur dit Champagne, de Philippe Liébert et de Louis Quévillon, d'André Paquet et de bien d'autres — et auxquels on ne peut refuser une certaine science architecturale, ni le sens des proportions.   Au reste, il faut se rappeler que la profession d'architecte ne remonte guère, chez nous, qu'au premier tiers du XIXe siècle.

Dans le chapitre biographique qu'on va lire, je ne signale que des hommes qui ont construit quelque édifice, peu importe le sort de leur ouvrage. Ils n'y sont pas tous ; mais les plus importants y figurent.   Il est évident que je n'y signale que les œuvres dignes d'intérêt.

ALLARD (Thomas) — (1705 — Québec, 1752).   Maître-maçon ; il a construit, en 1734, l'église actuelle de Saint-François, île d'Orléans.

AUDET (Octave) — (Sainte-Claire, 1826 — Québec, 1909).   Ordonné prêtre en 1852.   Architecte amateur.   Auteur des plans du couvent des Sœurs de Jésus-Marie, à Sillery (1870), et de la chapelle des Paquet, à Saint-Nicolas.   Membre du jury au concours de l'Université Laval de Montréal (1889).

126

BAILLAIRGÉ (Charles) — (Québec, 1826 — Québec, 1906). Élève de son cousin Thomas Baillairgé ; architecte, ingénieur et mathématicien. Il a construit quelques édifices dans la tradition classique (anciennes églises de Saint-Roch (1846) et de Saint-Jean-Baptiste (1849), à Québec. L'un des premiers architectes québecois à s'inspirer du style gothique anglais (ancienne église de Beauport (1849), églises actuelles de Saint-Roch-des-Aulnaies (1849) et de Sainte-Marie-de-la-Beauce (1856). Auteur des portes Kent et Saint-Louis, de l'Université Laval. Type de l'architecte archéologue.

BAILLAIRGÉ (François) — (Québec, 1759 — Québec, 1830)· Architecte, peintre et sculpteur ; élève de son père Jean et de Jean-Baptiste Stouf, à l'Académie royale de Paris (1778-1781). Auteur du premier Palais de Justice de Québec (1803) et de l'ancienne Prison de Québec (1808), aujourd'hui le Morrin College. Il a dessiné et exécuté le décor de l'église de Saint-Joachim (Montmorency) ; il a également tracé les plans des nombreux meubles sculptés — tabernacles de Beauceville (1815), de Saint-André (Kam.) (1826), de Louiseville, ancienne chaire de la cathédrale de Québec, chaire de Sainte-Louise (L'Islet), chaire de Sainte-Anne-de-Beaupré. . . — qu'il a façonnés avec l'aide de son fils Thomas. Il a apporté en 1781 l'esprit et les formes du style Louis XVI.

BAILLAIRGÉ (Jean) — (Villaret, France, 1726 — Québec, 1805)· Charpentier et sculpteur ; arrivé en Nouvelle-France en 1741. Auteur des plans de la reconstruction de la cathédrale de Québec (1769) et de son décor, exécuté de 1785 à 1802 avec l'aide de ses fils François et Pierre-Florent. Avec ce dernier, il a sculpté les retables de l'Islet (1782-1785) et de Saint-Jean-Port-Joli (1794-1797), les tabernacles de Saint-Onésime (1751), de Sainte-Louise (1794) et de Maskinongé.

BAILLAIRGÉ (Thomas) — (Québec, 1791 — Québec, 1859). Fils de François ; architecte, sculpteur et peintre ; officieusement architecte diocésain de Québec. Il aurait fait une partie de son apprentissage chez Louis Quévillon. Architecte des églises de Sainte-Luce (1836), des Becquets (1838), de Deschambault (1837), de Pierrefonds (1844), de Saint-Jean-Chrysostome (1849), etc. Il est également l'auteur du Palais épiscopal de Québec (1844), des anciennes églises de la Baie-du-Febvre (1839) et de Sainte-Croix (1836). À Saint-Patrice, Québec, il a interprété intelligemment l'intérieur de la cathédrale anglicane de Québec. Comme sculpteur, son influence s'est étendue sur toute l'École de Québec au XIXe siècle.

BAILLIF (Claude) — (Né en France vers 1635 — Mort en mer, côte de la Bretagne, 1698). Arrivé à Québec en 1675 comme professeur à l'École des Arts et Métiers de Saint-Joachim. Entrepreneur maçon.

127

En 1684, il construit la tour en pierre et le clocher de la cathédrale ; en 1688, il élève Notre-Dame-de-la-Victoire ; en 1693, il érige le Palais épiscopal. Auteur de quelques maisons de la Basse Ville, notamment la maison Louis Joliet (1684).

BARBIER (Gilbert) — (1626 — Pointe-aux-Trembles, 1693). Maître-charpentier. Constructeur des premières maisons de Montréal et des environs.

BELLOT (Paul) — (Paris, 1878 — Montréal, 1944). Architecte diplômé de l'École des Beaux-Arts de Paris ; entré chez les Bénédictins en 1904. Auteur de la coupole de l'Oratoire Saint-Joseph, à Montréal ; du monastère bénédictin de Saint-Benoit-du-Lac (1939-1941). Entre les années 1935 et 1944, il a exercé une influence considérable sur notre architecture religieuse.

BERCY (Wilhelm) — (Né en Saxe vers 1748 — New-York, 1813). Arrivé au Canada en 1792, comme chef d'une expédition de colons allemands ; il a vécu à Québec et à Montréal de 1802 à 1812. Topographe, peintre et architecte amateur. Auteur de la première cathédrale anglicane de Montréal (1805), détruite dans un incendie en 1854.

BERLINGUET (François-Xavier) — (Québec, 1830 — Trois-Rivières, 1916). Fils de Louis-Thomas et élève de Thomas Baillairgé. Il a commencé sa carrière comme entrepreneur. Les églises du Château-Richer (1864) et de Saint-François de Montmagny (1865), de Saint-Joseph-de-la-Beauce (1868) et de Saint-Gilles témoignent de son goût pour l'architecture de Gibbs. Il a construit quelques édifices dans un style gothique médiocre. Auteur du Bureau de Poste de Sherbrooke (1881).

BERLINGUET (Louis-Thomas) — (Saint-Laurent, près Montréal, 1790 — Québec, 1863). Sculpteur sur bois, statuaire et entrepreneur ; apprenti de Joseph Pépin. En 1816, il fonde une société avec Pierre Séguin et Olivier Dugal, dont l'œuvre maîtresse est la voûte de l'église de Saint-Augustin (Portneuf), vers 1816. Auteur de beaux ensembles décoratifs, comme l'église de Saint-Rémy (Napierville), vers 1845. On lui doit les plans de l'église de Cacouna (1845), la réfection de la façade de Boucherville (1844) et la façade de l'église de Saint-Jean (île d'Orléans), 1852.

BERNARD dit LARIVIÈRE (Hilaire) — (Vers 1639 — Québec, 1729). Entrepreneur en maçonnerie, fort actif à la fin du XVIIᵉ siècle. Il a travaillé à la construction de la cathédrale de Québec (1688) et de la première porte Saint-Jean (1693). Il a construit nombre d'habitations québecoises qui n'existent plus.

BLAICKLOCK (H.-M.) — Architecte anglais établi à Québec vers 1830. Il a tracé les plans du premier édifice de la Douane de Québec et ceux de l'Hôpital de la Marine (1831). On lui doit aussi les plans de la prison du Pied-du-Courant (1831).

BOISBERTHELOT de BEAUCOURS (Hyacinthe) — (En France, 1662 — Montréal, 1750). Arrivé en Nouvelle-France en 1688 ; ingénieur en chef de la colonie. Il donna les plans des portes de Québec (1693) et de la redoute du Cap-Diamant. Architecte de la première Prison de Montréal et de la première église de la Pointe-Claire.

BOUCHER dit BELLEVILLE (Jean) — (Près Poitiers, vers 1660 — Québec, 1745). Entrepreneur de maçonnerie. Constructeur des fortifications de Montréal.

BOURASSA (Napoléon) — (Lacadie, 1827 — Lachenaie, 1916). Architecte et sculpteur, peintre et écrivain ; autodidacte. Comme architecte, il a tracé les plans de la chapelle Notre-Dame-de-Lourdes, à Montréal (1872), du couvent des Dominicains de Saint-Hyacinthe et de l'église de Fall-River (États-Unis). Son œuvre maîtresse, l'église de Montebello, ne lui a valu que des déboires ; même sur les plans originaux, ce n'est pas un chef-d'œuvre. L'architecture de Napoléon Bourassa est extrêmement sèche et compliquée.

BOURGEAU (Victor) — (Lavaltrie, 1809 — Montréal, 1888). D'abord charpentier, puis entrepreneur ; il agit comme architecte à partir de 1845. Il a joué dans la région de Montréal le même rôle que Thomas Baillairgé à Québec — sauf que Bourgeau a parfois mis en œuvre des formes romanes et gothiques. L'Hôtel-Dieu et l'Hôpital-général de Montréal sont ses œuvres les plus considérables. Auteur des églises de l'Assomption et de Sainte-Rose, de Lavaltrie et de Saint-Isidore (Laprairie), de Sainte-Rosalie, de Saint-Cuthbert, de Saint-Vincent-de-Paul, de l'Île-Bizard... Excellent constructeur et architecte d'un goût sûr.

BRIEN dit DESROCHERS (Urbain) — (Pointe-aux-Trembles, 1780 — Québec, 1860). Sculpteur ; élève de Quévillon. Architecte des grands ensembles décoratifs qu'il a sculptés : Saint-Grégoire (Nicolet), Hôpital-général de Montréal, Louiseville (1828), Varennes...

BROSSARD (Urbain) — (En France, 1634 — Montréal, 1710). Entrepreneur en maçonnerie ; arrivé à Montréal en 1653. Il a construit la maison de Lambert Closse (1658), celle de Pierre Chauvin (1665) et l'habitation de Jean Milot (1672), que signale M. Massicotte. En 1704, il entreprend la construction du moulin à vent de la seigneurie de Saint-Ours.

BROWNE et LECOURT — Société d'architectes établie à Montréal et à Québec, entre 1848 et 1853. — George Browne, à qui l'on doit l'église Chalmers (1852), à Québec, et l'église de Sillery (1853), est mort vers 1854. — Pierre-Michel Lecourt, qui fut, pendant des années, architecte des Travaux publics à Ottawa, a construit l'ancien Marché Champlain (1858), à Québec, et le Ladies' Protestant Home (1869). La société Browne et Lecourt a construit l'église de Valcartier (1850).

BRYSON (John) — Architecte anglais établi à Québec au début du XIXe siècle. Il a tracé les plans de l'église Saint-Andrew (1809).

CANNON (John) — (Québec, 1780 — Québec, 1833). Maître-maçon. Il a travaillé avec son père à l'agrandissement de l'église de la Baie-Saint-Paul (1804) et à la construction de l'hôtel Union (1805), place d'Armes, Québec. En 1818, il reconstruit les tours de l'église de Berthier-en-Haut.

CATALOGNE (Gédéon de) — (En France, vers 1662 — Louisbourg, 1729). Ingénieur militaire. On lui doit le plan du deuxième Hôtel-Dieu de Montréal (1696) et les premières fortifications de Louisbourg.

CHAMPLAIN (Samuel) — (Brouage, vers 1567 — Québec, 1635). Dessinateur, peintre et architecte amateur. Il a tracé les plans de l'« Abitation de Québec ».

CHARLAND (Louis) — (Québec, 1772 — Montréal, 1813). Topographe et arpenteur ; inspecteur de la voirie à Montréal. Il a participé comme architecte à la construction des anciennes églises de Sainte-Anne-des-Plaines (1803) et de Chambly (1809).

CHAUSSEGROS DE LÉRY (Gaspard) — (Paris, 12 octobre 1682 — Québec, 1756). Arrivé en Nouvelle-France en 1716; nommé ingénieur en chef de la colonie le 14 octobre 1724. Il va de soi que toutes les fortifications qu'il a élevées n'existent plus. Architecte de la façade de l'ancienne Notre-Dame de Montréal (1721) ; de l'ancien Château Vaudreuil (1723) ; des fortifications de Montréal, etc. En 1744, il a tracé les plans de la réfection de la cathédrale de Québec. De son œuvre, il ne reste que de beaux dessins et des écritures...

CONEFROY (Pierre) — (Québec, 1752 — Boucherville, 1816). Ordonné prêtre en 1776 ; curé de Boucherville de 1790 à sa mort. Auteur des plans et devis de l'église de Boucherville (1801) ; ces plans ont été appliqués, *mutatis mutandis*, dans l'érection des églises de Lacadie, de Saint-Roch-de-l'Achigan, de la Baie-du-Febvre (détruite), de Charlesbourg (1828), de Lauzon (1830) et de plusieurs autres églises.

COURCELLES dit CHEVALIER (Joseph) — (Montréal, vers 1779 — Montréal, 1832). Entrepreneur en maçonnerie. Architecte et constructeur de la première Prison de Montréal (1806). Il a construit en 1825 la première église de Saint-Luc (Saint-Jean).

DARGENT (Joseph) — (Né près Nantes, 1712 — Pointe-aux-Trembles, 1747). Ordonné prêtre en 1737 : arrivé en Nouvelle-France quelques mois après. Curé de la Pointe-aux-Trembles ; il a dessiné le retable de son église, dont la sculpture était d'Antoine Cirier.

DEMERS (Jérôme) — (Saint-Nicolas, 1774 — Québec, 1853). Ordonné prêtre en 1798 ; professeur de science et d'architecture au Séminaire de Québec. Auteur d'un *Traité d'architecture* inédit (Cf. MAURAULT, *Marges d'histoire. L'art au Canada*, pp. 93-113). Comme grand-vicaire et conseiller des évêques de Québec, il a exercé une influence considérable sur l'architecture religieuse de la Province. Auteur des plans du Séminaire de Nicolet (1827) ; il a également participé au décor Louis XVI de l'église de Saint-Joachim.

DOLLIER DE CASSON (François) — (1636 — Montréal, 1701). Sulpicien venu en Nouvelle-France en 1666. Collabore aux plans de Notre-Dame de Montréal (1672) ; trace les plans du Séminaire de Montréal (1683) ; prend l'initiative du creusage du canal de Lachine. Auteur de l'*Histoire du Montréal* (Cf. MAURAULT, *Marges d'histoire. Montréal*, pp. 33-51).

DORION (Hercule) — (La Pérade, 1820 — Yamachiche, 1889). Ordonné prêtre en 1844 ; curé d'Yamachiche de 1853 à 1889. Auteur des plans de l'église à coupole d'Yamachiche (1868). Il a peint quelques tableaux.

DOSTALER (Dangeville) — (Berthier-en-Haut, 1846 — Joliette, 1915). Architecte-entrepreneur ; élève du Père Joseph Michaud. Il a construit de nombreux édifices civils à Joliette et dans les environs et les églises de Saint-Antoine-Abbé et de Saint-Théodore.

ÉMOND (Pierre) — (Québec, 1738 — Québec, 1808). Charpentier, menuisier et sculpteur, il a dessiné les ensembles décoratifs qu'il a sculptés : chapelle de monseigneur Briand, au Séminaire (1785), autels de Saint-Pierre (île d'Orléans), 1800 . . .

FAHRLAND (W.-T.) — Architecte du monument aux Victimes de 1837, au cimetière de la Côte-des-Neiges (1858) et de l'ancien Institut canadien de Montréal (1860).

131

FAILLON (Étienne-Michel) — (Tarascon, 1800 — Paris, 1870). Sulpicien ; historien, sculpteur et architecte amateur. Il a donné les plans de l'ancien Cabinet de Lecture (1858) et du décor de l'église de Saint-Patrice, à Montréal. L'Hôpital-général possède de lui une belle *Madone* en bois sculpté.

FOOTNER (Wilhelm) — Architecte d'origine allemande établi à Montréal. Il a élevé en 1846 le marché Bon-Secours et sa coupole.

FOURNIER (François) — (Saint-François-de-la-Rivière-du-Sud, 1792 — Montmagny, 1865). Architecte de l'église de Montmagny (1822), considérablement remaniée à la fin du XIXe siècle et vers 1922. Auteur de la sculpture de l'église de Lauzon (1830-1840). Il a également travaillé à Saint-Pierre (Montmagny), à Saint-Vallier, etc.

FOURNIER (Joseph) — (Montréal, 1790 — Montréal, 1832). Maître-maçon. Architecte de la première cathédrale de Montréal, rue Saint-Denis (1824), détruite dans l'incendie de 1852.

GARVEN et PARIS — Société d'architectes montréalais, fondée en 1863 et dissoute l'année suivante par la mort d'Ovide Paris. On lui doit le plan du Couvent d'Hochelaga, rue Notre-Dame (1864). James Garven, le survivant, est mort en 1872.

GAUTHIER (Amable) — (Saint-Cuthbert, 1792 — Maskinongé, 1876). Sculpteur ; élève de l'atelier des Accores. Il a tracé les plans de la plupart des ensembles décoratifs qu'il a exécutés : Saint-Isidore (Laprairie), Saint-Barthélémy, Berthier-en-Haut (avec la collaboration d'Alexis Millette), Saint-Cuthbert. . .

GAUVREAU (Pierre) — (Québec, 1813 — Québec, 1884). Architecte du Gouvernement en 1848. Auteur des plans de la Douane (1856), du Bureau de Poste (1869) et de l'Observatoire (1874), à Québec.

GEOFFROY (Louis) — (Paris, vers 1664 — Québec, 1707). Sulpicien ; curé de Laprairie en 1692 et de Champlain en 1697. Il a tracé les plans des premières églises de Champlain, de Sorel et de Contrecœur.

GIROUX (Raphaël) — (Québec, 1814 — Saint-Casimir, 1869). Architecte et sculpteur sur bois. Il a dessiné la plupart des ensembles décoratifs qu'il a exécutés (les Becquets, Cap-Santé). Il a tracé les plans de la première église de Percé.

HACKER (Frederick) — Architecte londonien qui, de 1832 à 1845, a exercé son art à Québec. En société avec Fletcher (1840) et avec Staveley (1845).

HÉROUX (Les) — Georges (1833-1901) et Joseph (1831-1901) ; sculpteurs et architectes d'Yamachiche. Auteurs des plans des églises de la Pointe-du-Lac (1884), de Warwick (1890) et de Sainte-Flore (1897).

HOPKINS et WILY — Société d'architectes montréalais, fondée vers 1865 et dissoute en 1880. Oeuvre : la Banque des Marchands à Lévis (1874).

HOPKINS, LAWFORD et NELSON — Société d'architectes montréalais, fondée vers 1853, apparemment dissoute vers 1860. La société a construit un grand nombre d'édifices commerciaux, comme les entrepôts John Young, les magasins G.-D. Watson (rue Saint-Laurent), Stephens, Thomas Bonaventure . . . On lui doit l'église protestante de Mascouche (1856) et l'église Saint-George, à Montréal (1857).

HUTCHISON (Alexander) — Architecte ; en société avec Steele. Il a construit avec H.-M. Perrault, l'Hôtel de ville de Montréal (1871-1873). Auteur du collège MacDonald, à Bellevue ; du Musée Redpath et de l'École normale McGill (1876) . . .

JANSON dit LAPALME (Dominique) — (Québec, 1701 — Québec, 1762). Fils de Pierre Janson. Architecte et maître-maçon ; il a habité Montréal quelques années. Entrepreneur des fortifications de Montréal et du fort de la Pointe-à-la-Chevelure (1734). « Architecte du roy » à Québec.

JANSON dit LAPALME (Pierre) — (Paris, ? — Montréal, 1743). Tailleur de pierre et maître-maçon. Auteur du clocher de Notre-Dame de Montréal (1710), démoli en 1843, et des portails des chapelles des Récollets (1712) et des Jésuites (1719) de Montréal. Architecte de la deuxième église de Varennes (1718). Tous ses ouvrages ont péri et ne sont connus que par des dessins.

LAJOUE (François de) — (Paris, vers 1656 — En Perse, vers 1718). Maître-maçon et architecte, arpenteur et armateur. Il a construit, en 1695, les plus anciens bâtiments de l'Hôtel-Dieu de Québec. Avec Jean Le Rouge, il a élevé l'ancienne porte Saint-Jean. C'est lui qui a donné le dessin du retable des Ursulines de Québec.

LAURENT (Michel) — (1833 — Montréal, 1891). Architecte. Auteur de la « Voûte Sébastopol », angle des rues Saint-Joseph et Saint-Paul (1858), de la Banque d'Épargne, angle des rues Saint-Jacques et Saint-Pierre (1869) et des magasins de l'Hôtel-Dieu, rue Saint-Sulpice (1871) . . .

LEBLANC (Augustin) — (Yamachiche, 1799 — Saint-Hugues, 1882). Sculpteur sur bois et entrepreneur. Il a travaillé parfois avec Alexis Millette (Baie-du-Febvre et Saint-Aimé). Son œuvre la plus intéressante comme ornemaniste est à l'église des Grondines (1840-1856).

LEBLOND dit LATOUR (Jacques) — (Bordeaux, France, 1670 — Baie-Saint-Paul, 1715). Architecte, peintre et sculpteur ; arrivé à Québec en 1690. Avec l'aide des élèves du Séminaire, il orne la chapelle de cette institution de sculptures et de tableaux. Ordonné prêtre en 1706 et curé de la Baie-Saint-Paul. De beaux fragments de ses œuvres se voient encore dans l'église de l'Ange-Gardien et dans la chapelle commémorative de Sainte-Anne-de-Beaupré.

LEROUGE (Jean) — (Né en France vers 1639 — Charlesbourg, 1712). Arpenteur, marbrier et maître-maçon. En 1693, il construit avec Pierre Janson la première porte Saint-Louis. Rien ne subsiste de ses œuvres.

LEVASSEUR (Noël) — (Québec, 1680 — Québec, 1740). Sculpteur ; il a tracé les dessins de quelques meubles d'église qu'il a sculptés (tabernacles de Saint-Gérard, de Beaumont (1718), de l'Islet (1728) . . .

LEVESQUE (Adolphe) — (Saint-Charles-sur-Richelieu, 1831). Architecte. Amateur de gothique anglais. Auteur de l'ancienne école du Plateau et de l'École normale Jacques-Cartier (1876), de l'Hôpital civique (1886) et d'un grand nombre d'écoles de style ogival.

LIÉBERT (Philippe) — (Nemours, France, vers 1732 — Montréal, 1804). Sculpteur et peintre ; souvent désigné comme architecte. Il a dessiné lui-même les meubles d'église qu'il a sculptés : tabernacles de Vaudreuil (1792), de l'Hôpital-général de Montréal et de la Crèche d'Youville (1790) . . .

LUC (Claude FRANÇOIS dit Frère) — (Amiens, 1614 — Paris, 1685). Peintre. Il a fait le voyage d'Italie et participé à la décoration de la Grande Galerie du Louvre. Il a tracé les plans du Séminaire de Québec et de l'ancienne chapelle des Récollets, aujourd'hui chapelle de l'Hôpital-général.

MAILLOU (Jean) — (Québec, 1668 — Québec, 1753). Architecte, maître-maçon et expert près le Conseil supérieur de la Nouvelle-France. Auteur d'un plan type de petite église de campagne.

MARCHAND (J.-Omer) — (Montréal, 1873 — Westmount, 1936). Architecte diplômé de l'École des Beaux-Arts de Paris (1893-

1903) ; élève de Lalou. Fervent de l'architecture classique. Auteur de l'église de Sainte-Cunégonde (1904), de l'Institut pédagogique, du réservoir de la rue McTavish, de la Congrégation Notre-Dame (1910), de l'Institut du Mont-Saint-Antoine, à Montréal ... Parfois il suit de très près son maître — comme dans la chapelle du Grand Séminaire de Montréal, inspirée de Saint-Martin de Tours. Il a aussi dressé les plans de la cathédrale de Saint-Boniface.

MARTIN (Félix) — (Auray, France, 1804 — Paris, 1886). Entré chez les Jésuites en 1824 ; arrivé à Montréal en 1842. Auteur des plans de l'église de Caughnawaga (1844) et du Collège Sainte-Marie (1854), remanié plus tard. Collaborateur de Victor Bourgeau à l'église de Saint-Patrice, à Montréal.

MELOCHE (Édouard) — (Montréal, 1855 — Montréal, 1914). Peintre-décorateur ; élève et disciple de Napoléon Bourassa. Auteur de quelques ouvrages d'architecture, comme l'abominable abside de Notre-Dame-du-Bon-Secours, à Montréal (1890-1892).

MICHAUD (Joseph) — (Kamouraska, 1822 — Joliette, 1902). Clerc de Saint-Viateur. Auteur des collèges de Joliette et de Rigaud, et de plusieurs églises et chapelles. Son œuvre la plus personnelle est la chapelle du collège de Boucherville (1875). Auteur, avec Victor Bourgeau, de la cathédrale catholique de Montréal.

MILLETTE (Alexis) — (Yamachiche, 1793 — Yamachiche, 1870). Sculpteur sur bois, il a décoré, avec la collaboration éventuelle d'Amable Gauthier, plusieurs églises de la région des Trois-Rivières. Architecte de l'église de Saint-François-du-Lac et de celle de Saint-Léon. Il a construit les anciennes églises de la Pointe-du-Lac et de Saint-Aimé.

MILLETTE (Thomas) — (Trois-Rivières, 1847 — Sainte-Philomène, Châteauguay, 1875). Architecte-entrepreneur, il a élevé les églises de Sainte-Angèle-de-Laval (1870) et de Saint-Cyrille de Wendover (1874) ; architecte de l'ancien collège des Trois-Rivières (1874).

MOLIN (Antoine-Alexis) — (Lyon, 1757 — Montréal, 1811). Sulpicien ; ordonné prêtre en 1791 ; arrivé à Montréal en 1795. Économe du collège. Après l'incendie du Château Vaudreuil (1803), il reconstruit le collège de Montréal (1806) d'après ses plans et devis.

MONTGOLFIER (Étienne) — (Sainte-Marguerite, près Annonay, 1712 — Montréal, 1792). Sulpicien ; ordonné prêtre en 1741 ; arrivé à Montréal en 1751. Il trace les plans de la reconstruction de l'Hôpital-général de Montréal, après le sinistre de 1765.

MONTMAGNY (Charles HUAULT de) — (Né près Paris vers 1583 — Saint-Christophe (Antilles), 1654) — Deuxième gouverneur de la Nouvelle-France, chevalier de l'Ordre de Malte. Auteur des plans du premier château Saint-Louis (1647). Il a tracé les premières rues de la Haute Ville, à Québec.

MORIN (Pierre-Louis) — (Nonancourt, 1811 — Mascouche, 1886). Arpenteur, géomètre et architecte. Arrivé au Canada en 1836. Auteur des plans de l'église de Laprairie (1839), du manoir Masson, à Terrebonne (1848-1854), de l'ancien collège de Saint-Hyacinthe (1849)...

NADEAU (Jean-Thomas) — (Saint-Joseph-de-la-Beauce, 1883 — Saint-Éleuthère, 1934). Ordonné prêtre en 1908 ; étudie à l'Université de Lille de 1908 à 1911 et voyage dans toute l'Europe méditerrannéenne. Par ses écrits et sa participation aux plans de certains édifices religieux, il a contribué à l'abandon de l'architecture archéologique dans la région de Québec.

O'DONNELL (James) — (Né en Irlande, 1774 — Montréal, 1830). Exerce l'architecture en Angleterre puis à New-York. Il s'établit à Montréal en 1824 pour la construction de l'église Notre-Dame, son œuvre principale.

OSTELL (John) — (Londres, 1813 — Montréal, 1892). Arpenteur, ingénieur et architecte. Établi à Montréal vers 1834. Auteur de l'édifice de la Douane (1836), de l'ancien Palais épiscopal (1849), de l'Asile de la Providence (1848), de la façade de l'église du Sault-au-Récollet, de l'église de Notre-Dame-de-Grâce (1851) ... Architecture gentiment pompeuse.

OUELLET (David) — (Québec, 1844 — Québec, 1915). Il a fait son apprentissage de sculpteur chez François-Xavier Berlinguet. D'abord entrepreneur, puis architecte. Il a construit un grand nombre d'églises, surtout sur la rive sud du Saint-Laurent, en un style panaché de roman et de classique ; l'église de Saint-Lazare (Bellechasse), édifiée en 1881, marque sa manière grandiloquente et vulgaire ; aussi les églises de Saint-Gilles, de Saint-Basile...

PAQUET (André) — (Saint-Charles-sur-Rivière-Boyer, 1799 — Québec, 1860). Sculpteur-ornemaniste qui a exécuté parfois des plans de Thomas Baillairgé — comme à Saint-Charles, à Charlesbourg et à Deschambault — , mais qui en a composé quelques-uns pour ses décorations d'églises : Saint-Antoine-de-Tilly, Saint-Pierre et Saint-François (île d'Orléans), Lévis (1853), Saint-Anselme...

PARIZEAU (Marcel) — (Montréal, 1898 — Montréal, 1945)· Descendant d'une lignée de constructeurs. Élève à l'École des Beaux-Arts de Paris de 1922 à 1932. Artiste d'une sensibilité très fine et d'un sens architectural large et généreux. (Cf. COUTURIER, *Marcel Parizeau*. Montréal, 1945.)

PEACHY (Ferdinand) — (Québec, 1830 — Québec, 1903). Architecte d'une grande fécondité. Auteur de l'Université Laval et du Grand Séminaire (1875- 1880), des églises de Saint-Jean-Baptiste (1881) et de Saint-Sauveur, de la chapelle de Notre-Dame-de-Lourdes (1879), des églises d'Arthabaska et de Saint-Michel de Bellechasse (1872), de la chapelle extérieure du Séminaire de Québec (1889) . . .

PERRAULT et MESNARD — Société d'architectes montréalais fondée en 1880 ; elle comprenait Henri-Maurice Perrault, son fils Maurice (Montréal, 1857 — Montréal, 1909) et Albert Mesnard ; en 1894, la société prit le nom de Perrault, Mesnard et Venne. Henri-Maurice Perrault a construit en 1872 le Bureau de Poste de Montréal. De la société Perrault et Mesnard, il reste un grand nombre d'édifices de style médiocre, comme les églises de Varennes, de Longueuil, de Saint-Hubert, de Blainville, de Lachenaie . . . La chapelle du Sacré-Cœur (1889), à Notre-Dame de Montréal, le croisillon sud de Saint-Jacques, le Monument national témoignent de la vulgaire complication de leurs œuvres.

POITRAS et ROY — Société d'architectes montréalais, fondée vers 1880. J.-R. Poitras a construit, seul, l'église de Terrebonne (1876) et la prison des femmes à Montréal. On doit à la société l'église de Sainte-Brigitte (1880), le couvent de Saint-Roch-de-l'Achigan (1881). le dessin du monument Salaberry, à Chambly, le Séminaire de Sainte-Thérèse (1881), le presbytère de Sainte-Rose (1883), le Palais de Justice de Marieville (1885). La société a été dissoute à la mort de Poitras, le 1er octobre 1885.

QUÉVILLON (Louis) — (Sault-au-Récollet, 1749 — Saint-Vincent-de-Paul, 1823). Sculpteur ; fondateur de l'atelier des Accores, à Saint-Vincent-de-Paul. Il a dessiné les ensembles décoratifs qu'il a exécutés en bois, tels les retables de Verchères (1818), de Saint-Marc (Verchères), de Saint-Mathias . . . Il reste de sa main quelques plans de meubles d'église.

QUINTAL (Joseph, dit Frère AUGUSTIN, récollet) — (Boucherville, 1683 — Montréal, 1776). Entré chez les Récollets de Montréal en 1706 ; ordonné prêtre en 1713. Desservant d'Yamachiche de 1724 à 1733, dont il construit l'église d'après ses propres plans (elle a été détruite par la foudre en 1780). Il a fourni les dessins de quelques meubles d'église (chaire et banc d'œuvre de l'ancienne église des Trois-Rivières (1732), tabernacles de Lachenaie (1737) et de Boucherville (1745), qui ont été sculptés par Gilles Bolvin). Il a aussi laissé des tableaux d'église.

RESTHER (Jean-Baptiste) — (Montréal, 1830 — Montréal, 1896). Architecte. Auteur du Marché central de Saint-Hyacinthe (1876), et de l'ancien Collège des Jésuites de la rue Rachel.

SATTIN (Antoine) — (Lyon, 1767 — Montréal, 1836). Sulpicien ; ordonné prêtre à Lyon en 1791 ; arrivé à Montréal en 1794. En 1832, il donne les plans et construit la nouvelle chapelle de l'Hôpital-général de Montréal, dont il reste partie des murs, rue Saint-Pierre.

TACHÉ (Eugène-Étienne) — (Montmagny, 1836 — Québec, 1912). Élève de Théophile Hamel de 1862 à 1863. Arpenteur et architecte. Auteur du Parlement de Québec (1878), du Palais de Justice (1883) et du Manège militaire de Québec.

TALBOT (Eugène) — (Lévis, 1860 — Petit-Pré, 1917). Architecte. Ses principales œuvres sont l'intérieur de l'église de Saint-Michel de Bellechasse, l'Hôtel de Ville de Lévis, l'église de Sainte-Croix, l'église de Saint-Roch de Québec (1914).

TANGUAY (Georges-Émile) — (Saint-Gervais, 1858 — Québec, 1925). Architecte. En 1888-1889, il voyage en Europe. Auteur d'un grand nombre d'églises (Montmagny, Loretteville, Bécancour, Saint-Pascal de Kamouraska (1884), Notre-Dame-du-Chemin, à Québec, l'Immaculée-Conception, à Montréal, Beauport (1916), Matane (1885) ; l'Hôtel de Ville de Québec, l'Hôtel-Dieu et l'Hôpital du Sacré-Cœur sont ses œuvres.

THOMAS (W.-T.) — Architecte anglais qui a exercé sa profession à Montréal entre 1865 et 1880. Auteur des belles villas Mount Stephens et Washington Stephens.

THOMPSON et PERRY — Société d'architectes montréalais, fondée en 1834 et dissoute en 1837. On lui doit le Palais de Justice de Napierville et le poste de la Compagnie de la Baie d'Hudson, à Lachine (1834).

VACHON de BELMONT (François) — (Grenoble, 1645 — Montréal, 1732). Sulpicien arrivé au Canada en 1680. Auteur du *Fort des Messieurs*, à Montréal, dont il ne reste que les poivrières de la rue Sherbrooke, et du fort de Lorette, au Sault-au-Récollet.

VIAU et VENNE — Société d'architectes montréalais dont l'activité s'est fait sentir pendant plus d'un quart de siècles, 1895-1925.

WELLS (John) — Architecte anglais arrivé à Montréal vers 1830. Presque tous ses ouvrages ont disparu, sauf son œuvre la plus belle et la plus connue, la Banque de Montréal (1846).

TABLE DES MATIÈRES

TABLE DES GRAVURES

Les gravures sont indiquées dans l'ordre alphabétique des noms de lieux. — Les initiales I. O. A. désignent l'*Inventaire des œuvres d'art*, dont le fonds photographique et documentaire est à la disposition du public.

143

L'ARCHITECTURE

L'ARCHITECTURE

ACHEVÉ D'IMPRIMER LE 21 FÉVRIER MIL
NEUF CENT QUARANTE-NEUF, SUR LES
PRESSES TYPOGRAPHIQUES ET LITHO-
GRAPHIQUES DE CHARRIER ET DUGAL,
LIMITÉE, POUR LE COMPTE DE L'AUTEUR.

1*a*. Sillery — Maison dite des Jésuites, dont les murailles remontent au milieu du XVIIᵉ siècle. Restaurée à plusieurs reprises.

1*b*. Cap-Santé — Maison Chevalier (autrefois ferme Morisset), construite à la fin du XVIIᵉ siècle. Maçonnerie enduite de mortier.

Cl. I. O. A.

2*a*. NEUVILLE — Maison Athanase Denis construite au début du XVIIIe siècle. — Modèle d'édifice d'esprit roman.

2*b*. NEUVILLE — Maison Adjutor Soulard construite vers la fin du XVIIIe siècle. — Proportions admirables.

Cl. I. O. A.

3a. CHARLESBOURG — Maison Villeneuve bâtie à la fin du XVIIe siècle. — Exemple d'architecture parfaite.

3b. SAINTE-FOY — Maison Routier construite au début du XVIIIe siècle. — Architecture de proportions fort agréables.

Cl. I. O. A.

4a. SAINTE-FOY — Maison Blais construite vers 1735 et agrandie en 1792. Bel exemple de toiture en pavillon.

4b. SAINT-LAURENT (I. O.) — Maison Gendreau bâtie au début du XVIIIe siècle.

Cl. I. O. A.

5a. SAINT-JEAN (île d'Orléans) — Manoir Mauvide-Genest construit vers 1740 et entièrement restauré de 1928 à 1930.

5b. ANGE-GARDIEN (Montmorency) — Maison Laberge bâtie au début du XVIIIe siècle ; à gauche, laiterie en pierre.

Cl. I. O. A.

6a. GIFFARD — Maison Lorenzo Parent, en pierre blanchie à la chaux ; elle date probablement du début du XVIIIe siècle.

6b. CHÂTEAU-RICHER — Maison Charles-Léon Cauchon, vaste habitation en pierre dont la construction remonte au début du XIXe siècle.

Cl. I. O. A.

7a. MONTMAGNY — Maison Louis-Joseph Casault, construite vers le milieu du XVIIIe siècle.

7b. VARENNES — Moulin à eau, bâti en pierre des champs blanchie au lait de chaux. Il date de l'année 1719.

Cl. I. O. A.

8a. REPENTIGNY — Maison Omer Juneau bâtie à la fin du XVIIe siècle. — À remarquer la répartition des fenêtres et des cheminées.

8b. SAINTE-ROSE (île Jésus) — Maison Filiatrault, vaste habitation en pierre élevée vers 1780.

Cl. I. O. A.

9*a*. LAPRAIRIE — Maison Hector Brossard bâtie à la fin du XVIIᵉ siècle. Édifice remarquable par sa dyssymétrie.

9*b*. CÔTE-SAINTE-CATHERINE — Maison Alphonse Racine ; elle date probablement de la fin du XVIIIᵉ siècle ; comme les maisons de ville, elle porte des coupe-feu.

Cl. I. O. A.

10*a*. SAINTE-SCHOLASTIQUE   (Deux-Montagnes) — Maison Armand Chalifour construite dans les premières années du XIXe siècle.

10*b*. LANORAIE — Maison Hétu construite vers 1815 par les Hervieux ; restaurée avec beaucoup de soin.

Cl. I. O. A.

11*a*. Saint-Elzéar (île Jésus) — Type de la maison montréalaise de l'époque 1830.

11*b*. Nicolet — Maison Émile Proulx érigée à la fin du XVIIIe siècle.

Cl. I. O. A.

12a. SAINTE-THÉODOSIE (Verchères) — Maison Marc Larose, construite vers 1837. Au sous-sol, four à pain, cellier et cave à légumes.

12b. GIFFARD — Maison des métayers du Séminaire, commencée en 1689. Elle appartient aujourd'hui à la fabrique de Giffard.

Cl. I. O. A.

13a. KAMOURASKA — Maison Wilfrid Langlais. D'après la tradition, elle a été construite par Jean Lebel, vers 1750.

13b. SAINT-ROCH-DES-AULNAIES — Maison Louis Létourneau, l'une des plus imposantes de la campagne québecoise.

Cl. I. O. A.

14. Baie-Saint-Paul — Moulin Fortin. D'après la tradition, il a été construit à la fin du XVIIe siècle par le Séminaire de Québec.

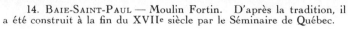

Cl. I. O. A.

15. GIFFARD — Maison Henri Parent. Type de la maison d'artisan de la côte de Beaupré : atelier au sous-sol et habitation à l'étage. Maçonnerie crépie et blanchie à la chaux.

Cl. I. O. A.

16a. MONTMAGNY — Petite école en bois lambrissé de bardeau de cèdre, construite vers 1845. Lanterne d'une élégance remarquable.

16b. RIVIÈRE-DES-PRAIRIES — Maison Antonio Armand, en pierre bouchardée. Construite en 1872, elle est pourvue de quinze pièces.,

Cl. I. O. A.

17. Berthier-en-Bas — Manoir Claude Dénéchaud, dont la partie gauche date du début du XIXe siècle.

11

18*a*. Saint-Édouard (Laprairie) — Manoir François Languedoc
élevé entre 1823 et 1830.

18*b*. Lachine — Poste des « Bourgeois du Nord-Ouest » construit
en 1834 d'après les plans de Parry et Thompson, architectes.

Cl. I. O. A.

19a. SAINT-JEAN-PORT-JOLI — Maison Saint-Pierre construite vers 1765 ; elle a servi tour à tour de prison commune et de quartiers généraux à la milice.

19b. MONTMAGNY — Maison de type anglo-normand, à deux étages.

Cl. I. O. A.

20a. BATISCAN — Grande maison campagnarde couverte en pavillon ; construite vers 1840.

20b. SAINT-MICHEL (Bellechasse) — Maison de type anglo-normand, dont l'étage repose sur un stylobate.

Cl. I. O. A.

21. SILLERY — Habitation Roger Turcotte construite vers 1845, chemin Saint-Louis. Type de la villa de style anglo-normand ; il en reste de fort beaux exemples dans les environs de Montréal et de Québec.

Cl. I. O. A.

22a. ANCIENNE-LORETTE — Maison Boivin construite en bois d'après le type de la maison Villeneuve, à Charlesbourg.

22b. RIVIÈRE-OUELLE — Maison Camille Desmeules. Cet édifice de type anglo-normand date probablement de l'époque 1840.

Cl. I. O. A.

23a. Sainte-Foy — Gentilhommière Le Sage, érigée vers 1855.
Belle architecture campagnarde.

23b. Giffard — Vaste remise en pierre dépendant de l'ancien
manoir Deblois.

Cl. I. O. A.

24a et b. Types de petites maisons de bois couvertes en pavillon.
En haut, au Cap-Rouge ; en bas, à Québec-Ouest.

Cl. I. O. A.

25a. Montréal — Château Ramesay construit en 1705 par le maître-maçon Pierre Couturier.

25b. Québec — Maisons de la rue des Remparts, d'après un lavis de l'architecte Holloway, 1830. — Montcalm a été locataire de la maison de droite, en 1758.

Cl. I. O. A.

26a. QUÉBEC — Magasin Pagé à la Basse Ville. Abîmé par le siège de 1759, reconstruit vers 1770. Architecture d'esprit roman.

26b. QUÉBEC — Maisons du XVIIIe siècle, rue Saint-Jean. Malheureusement démolies au début de notre siècle.

Cι. I. O. A.

27a et b. Montréal — Types de maisons urbaines dans les environs de Notre-Dame-de-Bon-Secours.

Cl. I. O. A.

28a. Québec — Maisons de l'avenue Saint-Denis, construites vers 1860.

28b. Québec — Toits des maisons de la côte de la Montagne et ancien Palais épiscopal vus du château Saint-Louis. Dessin au lavis de James-Pattison Cockburn, 1830.

Cl. I. O. A.

29. Québec — Types d'habitations urbaines : écoles et maisons rue Champlain, au Cap-Blanc ; au loin, la Pointe-à-Pizeau (Sillery).

Cl. I. O A.

30. PIERREFONDS — Maison en pierre des champs, qui date probablement du début du XVIIIe siècle.   Elle appartient à Mlle Henderson.

Cl. I. O. A.

31a. LAPRAIRIE — Charnier en pierre des champs, construit vers 1830.

31b. DESCHAILLONS — Calvaire en bois avec Christ en bois sculpté. Façonné vers 1880.

Cl. I. O. A.

32. MONTMAGNY — Four à pain isolé de toute habitation ou remise. Construit en pierre des champs, il date probablement de la fin du XVIIIᵉ siècle.

Cl. I. O. A.

33a. VARENNES — Laiterie en pierre dépendant de la ferme Ulric Richard, construite au milieu du XVIIIe siècle.

33b. SAINTE-THÉODOSIE (Verchères) — Laiterie en pierre des champs, dépendant de la ferme Joseph Beauregard, construite vers 1830.

Cl. I. O. A.

34a. SAINTE-CROIX (Lotbinière) — Laiterie en pierre des champs, couverte en pavillon. Elle dépend de la propriété Pouliot.

34b. VARENNES — Type de cheminée à trois gaines, dont l'une — celle du centre — est plus volumineuse que les autres.

Cl. I. O. A.

35a. MONTRÉAL — Château Vaudreuil construit en 1723 d'après
les plans de Chaussegros de Léry. Détruit dans un sinistre en 1803.
Dessin de Berczy fils.

35b. MONTRÉAL — Séminaire construit de 1680 à 1685 d'après
les plans de François Dollier de Casson. Sépia de John Drake, 1828.

Cl. I. O. A.

36a. Montréal — Séminaire construit par Dollier de Casson :
façade sur les jardins. Sépia de John Drake, 1828.

36b. Montréal — Couvent et chapelle des Récollets construits
en 1712 par Pierre Janson dit La Palme. Sépia de John Drake, 1828.

37. Montréal — Corps de logis de la ferme Saint-Gabriel, dont la partie centrale date de 1698 ; les ailes ont été construites vers 1725. — Architecture d'esprit roman.

Cl. Edgar Gariépy

38a. Québec — Ancien collège des Jésuites commencé en 1647, considérablement agrandi en 1741 et démoli en 1878.

38b. Montréal — *Ferme des prêtres* et poivrières de la rue Sherbrooke, construites vers 1680 par François Vachon de Belmont. Dessin de John Drake, 1828.

Cl. I. O. A.

39a. MONTRÉAL — Troisième collège de Montréal commencé en 1806 d'après les plans de l'abbé Molin, sulpicien. Sépia de John Drake, 1828.

39b. MONTRÉAL — Palais de Justice construit en 1800-1801 par François Daveluy, partiellement détruit en 1844. Dessin de John Drake, 1828.

Cl. I. O. A.

40*a*. Longueuil — Édifice construit vers 1815 par l'abbé Chaboillez pour servir de collège ; il a été occupé par les Oblats de 1842 à 1854 ; c'est aujourd'hui le presbytère.

40*b*. Québec — Palais épiscopal construit en 1844 d'après les plans et devis de Thomas Baillairgé.   La partie droite a été érigée à la fin du siècle dernier.

Cl. I. O. A.

41*a* et *b*. NICOLET — Édifice du séminaire construit de 1827 à 1833 par Jean-Baptiste Hébert, d'après les plans de l'abbé Jérôme Demers.

Cl. I. O. A.

42a. PETIT-CAP — Château Bellevue érigé en 1779 par Michel Jourdain et agrandi en 1870 de toute la moitié gauche.

42b. QUÉBEC — Maison de vacances de Maizerets, construite vers 1780 et restaurée après l'incendie de 1941.

Cl. I. O. A.

43. Québec — École rue Champlain, construite en 1849 pour servir d'édifice conventuel.

Cl. I. O. A.

44*a*. Terrebonne — Manoir Masson construit en 1850 d'après les plans de l'architecte Pierre-Louis Morin.

44*b*. Québec — Corps de logis de la Citadelle, construit de 1823 à 1830 par les ingénieurs royaux.

Cl. I. O. A.

45a et b. Québec — Portails, extérieur et intérieur, de la citadelle,
construits de 1823 à 1830 par les ingénieurs royaux, d'après les plans
originaux de Gaspard Chaussegros de Léry.

Cl. I. O. A.

46. Trois-Rivières — Ancienne église commencée en 1710 et
détruite en 1908. Façade et clocher construits en 1773.

Cl. Pinsonnault

47. Cap-de-la-Madeleine — Église commencée en 1715.
Clocher sur plan hexagonal, 1798. Type de petite église campagnarde.

Cl. I. O. A.

48. Lachenaie — Ancienne église en pierre des champs, commencée en 1724 et démolie vers 1882. — C'était le monument le plus
parfait de notre architecture religieuse.

Cl. Henderson

49. Saint-Pierre (île d'Orléans) — Église en pierre commencée en 1716. Clocher d'André Paquet, 1839.

Cl. I. O. A.

15

50. Saint-Pierre (île d'Orléans) — Façade latérale nord de
l'église commencée en 1716.

Cl. I. O. A.

51*a*. Pointe-aux-Trembles — Ancienne église commencée en 1705, détruite en 1937.

Cl. Edgar Gariépy

51*b*. Beaumont — Église en pierre commencée en 1727. Façade et clocher construits en 1921 par Lorenzo Auger.

Cl. I. O. A.

52. Sainte-Famille (île d'Orléans) — Façade de l'église commencée en 1743. Clochers latéraux par Olivier Viller, 1807. Grand clocher par Thomas Baillairgé, 1843.

Cl. I. O. A.

53. Cap-Santé — Église en pierre construite de 1754 à 1778.
Clochers de 1807-1811. Statues de François-Noël Levasseur, vers 1777.

Cl. I. O. A.

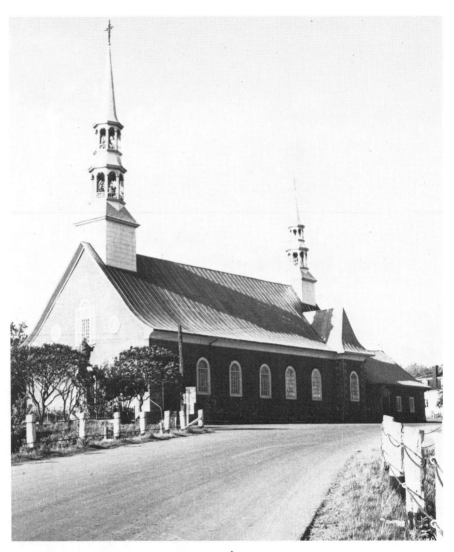

54. Saint-Jean-Port-Joli — Église construite en 1779 et agrandie de trente pieds à la façade en 1815. — Clochers de Chrysostome Perrault, 1815.

Cl. I. O. A.

55a. Présentation (La) — Église construite de 1817 à 1820 d'après le devis Conefroy et les dessins de l'abbé Bardy.

55b. Saint-Mathias — Façade latérale sud de l'église construite en 1784 et agrandie à la façade en 1815.

Cl. I. O. A.

56*a*. Varennes — Église à deux tours, construite en 1780 par Joseph Morin, démolie en 1883. — Clochers par Laporte, 1798.

Cl. I. O. A.

56*b*. Saint-Vallier (Bellechasse) — Petite église en pierre enduite de mortier, construite au début du XVIIIe siècle et démolie en 1904.

Cl. T. Lebel

57a. BOUCHERVILLE — Église construite en 1801 par l'abbé Pierre Conefroy d'après ses plans et devis.   Clocher reconstruit en 1843.

57b. REPENTIGNY — Église construite en 1725-1727, sans transept, et agrandie en 1850.

Cl. I. O. A.

58. SAINT-PAUL (Joliette) — Église construite en 1803-1804 d'après le plan type et les devis de l'abbé Pierre Conefroy, curé de Boucherville.

59. SAINT-MARC (Verchères) — Ancienne façade de l'église construite en 1801 d'après le plan-type de l'abbé Pierre Conefroy ; remplacée
en 1908 par une architecture d'une valeur douteuse.

Cl. I. O. A.

60. SAINT-CHARLES-SUR-RICHELIEU — Façade de l'église construite en 1821 par le maître-maçon Angers, de Terrebonne, d'après le devis Conefroy ; abîmée en 1837, détruite en 1922 par le feu et reconstruite sur les mêmes murs par Paquet et Godbout.

Cl. I. O. A.

61. Lacadie (Saint-Jean) — Église construite en 1801 par Odelin et Mailloux, maîtres-maçons, et Joseph Nolette, maître-charpentier du village. — À remarquer la faible saillie du transept.

Cl. I. O. A.

62. Louiseville — Ancienne église construite en 1803 d'après le
plan et le devis de l'abbé Conefroy.   Démolie sans raison en 1917.

Cl. Côté

63. Saint-Roch-de-l'Achigan — Église construite en 1803 d'après le plan-type de l'abbé Pierre Conefroy. — Clocher construit en 1856 d'après le dessin de Victor Bourgeau.

Cl. I. O. A.

64. Saint-André (Kam.) — Église en pierre construite de 1806 à 1811 ; elle n'a pas de transept. Grand clocher construit en 1865 par le charpentier Joseph Morin.

Cl. I. O. A.

65. LAUZON — Église en pierre bâtie en 1830-1832 par le maçon Charles Côté et le charpentier François Fournier, d'après les plans de Thomas Baillairgé.

Cl. I. O. A.

66. DESCHAMBAULT — Église en pierre construite en 1838 par
Olivier Larue, d'après les plans de Thomas Baillairgé.   Influence de
la cathédrale anglicane de Québec.

Cl. I. O. A.

67. BECQUETS (Les) — Église Saint-Pierre, construite en 1838 par
N. Larue d'après les plans de Thomas Baillairgé.

Cl. I. O. A.

68. Caughnawaga — Église en pierre construite en 1844 d'après les plans du Père Félix Martin, jésuite.

69. SAINT-RÉMY (Napierville) — Église construite en 1840 par
Louis-Thomas Berlinguet. Façade en partie refaite en 1940 par
l'architecte G.-A. Monette.

Cl. I. O. A.

70. Sainte-Louise (L'Islet) — Église construite en 1857, d'après un dessin de Thomas Baillairgé.

Cl. I. O. A.

71. Cacouna — Église en pierre des champs, commencée en 1844
par Louis-Thomas Berlinguet d'après ses propres plans. — Admirables
proportions du grand clocher.

Cl. I. O. A.

72. Saint-Pierre (île d'Orléans) — Portail latéral de l'église, en bois peint et sablé. Début du XVIIIe siècle.

Cl. I. O. A.

73. Neuville — Chapelle de procession en pierre des champs, construite vers 1735. — Magnifique exemple d'architecture à la fois simple et subtile.

Cl. I. O. A.

74. Beaumont — Chapelle de procession en pierre taillée. Suivant la tradition, elle aurait été construite en 1733 (?).

75. SAINTE-ANNE-DE-BEAUPRÉ — Clocher de la chapelle commémorative. C'est le clocher à deux lanternes de l'ancienne église, élevé à la fin du XVIIᵉ siècle.

Cl. I. O. A.

76. Québec — Clocher de la chapelle de l'Hôtel-Dieu, construit
vers 1803 d'après les dessins de l'abbé Philippe-Jean-Louis Desjardins.

Cl. I. O. A.

77. LACADIE (Saint-Jean) — Clocher de l'église, construit en 1801 par Joseph Nolette, charpentier du village. — Une des plus belles œuvres architecturales de la Nouvelle-France.

Cl. I. O. A.

78. Cap-Santé — Clocher sud de l'église, construit de 1807 à 1811. Probablement le modèle des clochers québecois de la première moitié du XIXe siècle.

Cl. I. O. A.

79. BERTHIER-EN-HAUT — Clochers de l'église, élevés en 1812 par le charpentier Joseph Latour. — Modèles de charpenterie très simple.

80. SAINT-MATHIAS (Rouville) — Clocher à deux lanternes, construit en 1815 par les Franchère, maîtres-maçons et charpentiers.

Cl. I. O. A.

81. SAINT-ANDRÉ (Kamouraska) — Clocher construit en 1865 par Joseph Morin, charpentier du village. — Le petit clocher de l'abside, d'un dessin très pur, date probablement de 1811.

Cl. I. O. A.

82. L'Islet — Sanctuaire de l'église : tabernacle de Noël Levasseur, 1728 ; tombeau d'autel par François Lemieux, 1827 ; retable par Jean et Pierre-Florent Baillairgé, 1782-1785 ; tableau de l'*Annonciation* par l'abbé Aide-Créquy, 1776.

Cl. I. O. A.

83a. SAINT-AUGUSTIN (Portneuf) — Voûte du sanctuaire en bois sculpté, œuvre de Séguin, Berlinguet et Dugal, 1816.

83b. SAULT-AU-RÉCOLLET — Voûte du sanctuaire en bois sculpté, œuvre de David Fleury-David, 1820-1830.

Cl. I. O. A.

84. SAINT-MATHIAS — Tribune du croisillon sud, construite et sculptée vers 1835 par Jean-Baptiste Baret, successeur de Rollin et Saint-James comme sculpteur de Saint-Mathias.

Cl. I. O. A.

85. Ange-Gardien (Montmorency) — Retable central et tabernacle dessinés et exécutés vers 1695 par Jacques Leblond dit Latour.
— Le tombeau du maître-autel est récent.

Cl. I. O. A.

86. VERCHÈRES — Retable *à la récollette* dessiné par Louis Quévillon en 1816 et exécuté par le maître et ses apprentis de 1816 à 1820.

Cl. I. O. A.

87. Saint-Joachim (Montmorency) — Détail du baldaquin du
sanctuaire : *Saint Marc* et *Saint Mathieu* en bois sculpté et doré, et
leurs symboles en bas-reliefs sur les panneaux du stylobate. Œuvres
de François Baillairgé et de son fils Thomas, 1816-1824.

88. Berthier-en-Haut — Maître-autel en bois sculpté par Gilles Bolvin (1759-1760) ; baldaquin en bois sculpté par Amable Gauthier (1824-1827).

89. Québec — Cathédrale anglicane construite en 1804 d'après le modèle londonnien de Saint-Martin-des-Champs. Robb et Hall, architectes.

Cl. Livernois

90. Montréal — Ancienne cathédrale anglicane, construite en 1805 d'après les plans de Wilhelm Berczy. À gauche, abside de l'ancienne Notre-Dame. Dessin de John Drake, 1828.

91. Château-Richer — Façade de l'église construite en 1866
d'après les plans et devis de François-Xavier Berlinguet.

Cl. I. O. A.

92. Sainte-Rose (île Jésus) — Façade de l'église construite en 1850 d'après les plans et devis de Victor Bourgeau. — Maçonnerie d'une exécution très soignée.

Cl. I. O. A.

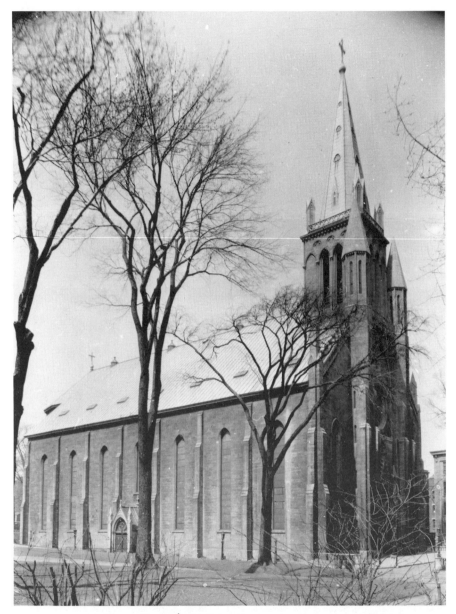

93. MONTRÉAL — Église Saint-Patrice, dont la construction a été
commencée en 1843 d'après les plans de l'architecte Pierre-Louis Morin.
— Exemple d'architecture archéologique très sèche.

94. QUÉBEC — Église Chalmers, rue Sainte-Ursule, construite en 1853-1854 d'après les plans et devis de George Browne. — Style gothique anglais de formes plaisantes.

Cl. I. O. A.

95. TROIS-RIVIÈRES — Cathédrale commencée en 1858 d'après les plans de Victor Bourgeau. Terminée en 1890 par Jean-Baptiste Bourgeois.

Cl. I. O. A.

96. MONTRÉAL — Coupole du marché Bon-Secours, élevée en 1846 d'après les plans de Footner. Détruite dans une incendie en 1947.

Cl. I. O. A.

97a. MONTRÉAL — Façade « jésuite » de l'église Notre-Dame-de-Grâce, construite en 1849 d'après les plans de John Ostell, architecte.

97b. YAMACHICHE — Église à coupole construite en 1872 d'après les plans de l'abbé Hercule Dorion, curé d'Yamachiche.

Cl. I. O. A.

16

98. MONTRÉAL — Chapelle Notre-Dame-de-Lourdes commencée
en 1873 d'après les plans et devis de Napoléon Bourassa. — Exemple
d'architecture tarabiscotée.

Cl. I. O. A.

99*a*. Montréal — Banque de Montréal, place d'Armes, dont les plans primitifs sont de John Wells, vers 1845.

99*b*. Montréal — Édifice de la Douane (ou ancienne Douane), construit en 1836 d'après les plans de John Ostell.

Cl. I. O. A.

100. Québec — Tour de l'édifice du Parlement, construite vers
1884 d'après les plans d'Eugène Taché et sous la surveillance de Pierre
Gauvreau.

Cl. I. O. A.

101. Saint-Hubert (Chambly) — Église érigée en 1888 d'après les plans des architectes Perrault et Mesnard. Exemple d'architecture grandiloquente.

Cl. I. O. A.

102. Belœil — Clocher de l'église construit en 1896 d'après les plans de Louis-Zéphirin Gauthier. — Exemple remarquable de mauvaise architecture.

Cl. I. O. A.

103. Montréal — Partie centrale et tour de l'Université construite de 1928 à 1942 d'après les plans et devis d'Ernest Cormier. — Les
plans datent de l'année 1925.

Cl. I. O. A.

104a. Montréal — Un des pavillons de liaison de l'Université. Ernest Cormier, architecte, 1925.

104b. Outremont — Maison Paul Laroque construite en 1941-1942 d'après les plans de Marcel Parizeau.

Cl. I. O. A.

105*a*. SILLERY — Maison Bourdon construite en 1934 d'après les plans de Robert Blatter.

105*b*. SILLERY — Petite maison de bois ancienne, restaurée récemment avec beaucoup de goût et de sens du pittoresque.

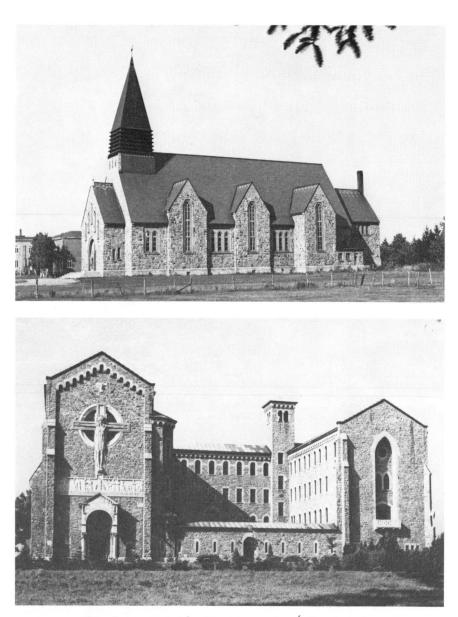

106a. Sainte-Thérèse (Montmorency) — Église dans le style dom-Bellot, construite en 1937 d'après les plans d'Adrien Dufresne, architecte.

106b. Pierrefonds — Noviciat des Pères de Sainte-Croix, construit d'après les plans de l'architecte Lucien Parent.

Cl. I. O. A.

107. MATANE — Intérieur de l'église reconstruite en 1933-1934
d'après les plans et devis de Paul Rousseau et de Philippe Côté. — Peintures murales de Lucien Martial, 1935-1936.

Cl. I. O. A.

108. BOISCHATEL — Église construite en 1936-1937 d'après les
plans des architectes Amiot, Bouchard et Rinfret. — Clocher refait en
1947-1948 et maintenant surmonté d'une flèche.

Cl. I. O. A.

109. Montréal — Coupole de l'Oratoire Saint-Joseph, construite de 1941 à 1944 d'après les dessins de dom Paul Bellot, bénédictin. — Le galbe est admirable ; les détails sont insignifiants.

110*a*. Nicolet — École d'agriculture construite en 1943-1944 d'après les plans de l'architecte Deshaies.

110*b*. Trois-Rivières — Élévateur à grain du port. — Bel exemple d'architecture industrielle.

Cl. I. O. A.

111. Québec — Baptistère de l'église de Limoilou, construit en 1945-1946 d'après les plans de l'architecte Henry Tremblay. — Architecture logique et plaisante.

Cl. I. O. A.

112. Québec — Baptistère de l'église de Limoilou, construit en 1945-1946 d'après les plans de l'architecte Henry Tremblay. — Fonts baptismaux en granit, ornés de bas-reliefs sculptés d'après les dessins de René Thibault.

Cl. I. O. A

Cette réédition de
L'ARCHITECTURE EN NOUVELLE-FRANCE
a été achevé d'imprimer
en octobre 1980
pour Éditions du Pélican sur
les presses lithographiques
des ateliers Marquis de Montmagny.